漢學研究叢書・日韓儒學研究叢刊

近代日本漢學家

——東洋學的系譜

第一集

江上波夫　編著

林慶彰　譯

目次

讓東洋學者的形象更自由、更活潑

　　這本書從它的書名也可以引起聯想，是把我國東洋學的成立，發展的經過，作學問性的分析，不是總合性的學史，闡明它的系譜的著作。明治以來，我國東洋學的各個領域，又各有它的樣貌、成就，及顯著的學問貢獻，造成很多朋友和弟子，達成偉大的文化事業那樣的大事。又有人獨自努力於前人未涉足的學問領域，仔細地開拓新的道路。本書透過各個人的親屬關係，自由而有活力的評價東洋學者的群像圖繪。

　　因此，乍看之下，並沒有統一的規準，也沒有共通的目的意識，但作為全體像，朝著一定的目標是可見到的、可理解的，可以很明確的瞭解「東洋學」不外乎就是這樣一種東西。

　　本來「東洋學」這種東西，如書中所記載的那樣，那珂通世從他的親友三宅米吉，見到他帶回許多東洋關係文獻、著作，支那（中國）史，包含西域和蒙古、滿州等的東洋史研究，是深深地感到必要的。把外國的歷史二分為西洋史與東洋史，他所任教的高等師範學校地理歷史專修科規程，本邦史、西洋史和東洋史一起是被公認的，這樣就成了一種契機，不僅僅支那（中國）史、中國文學、中國哲學、印度史、印度哲學、西域史、西域文化史、蒙古史、塞外史等，都可稱為東洋學。他們之間有相互密切的關係，總稱為東洋史、或東洋學的情況很多。這本書的書名「東洋學」，正是其中的一個例子。從讀這本書來看，東洋學關係的各種學問、研究，相互關係的分合。因此，例如印度的宗教，印度的社會、言語，日常生活、歷史，是很難加以分開。同時以印度、伊朗為首的印歐語族，它和周邊民族的語言、文化、社會有密切的關係。把它分開來看的話，往往不能當作實際研究的情況很多。那意味著，所謂東洋學的概念，並不是單純的地

域、為了圖方便的概念，也不是有更廣、更深的學問意義，被包含在內。從讀這個書自然就可以理解，又同一學者以廣泛的地域，各式各樣的異民族的文化、社會和年代為對象，所謂研究，並不很少。又實際上那是必要的、可能的事情，在這本書也可以見到，從那個例子可以看出，那師弟的關係，或是學界的關係，或是個人的關係，還有社會性的邀請，國民的願望，個人的熱情。我想，那樣的契機和要因，實際上是各式各樣的。但是不管如何，它生產出來的東西，在生產出來的同時，就脫離了個人，成為學術性、文化性的遺產，成為大家的東西，而屬於日本東洋學的系譜。本書的題材從明治、大正時代，乃至於昭和初期的東西，昭和中後期的所謂的各式各樣的，大不相同。東洋學形成期，乃至於接續東洋學古典期，又因為帶有個人多樣的個性存在，正處於活躍的時期，因此有百花撩亂之趣。這本《東洋學的系譜》，作為一本讀物，也是非常有趣。從學術上來說，在和我們同時代的相近的東西，是充滿許多令人懷念的回憶。相較之下，所謂戰後的現代的東洋學，研究資料比前者多了數十倍，或者更多也說不定，研究方法也進入機械化，能有如此大規模的成就，令人瞠目結舌。但如果寫成《系譜》，我有預感，可能成為完全沒有趣味的報告書。這僅僅是我的預感吧。

平成四年八月二十四日

編者 江上波夫

譯者序

　　中、日兩國兩千餘年來文化交流密切，儒家思想也創造了江戶時期的文化；日本明治維新則影響晚清的革命。清末民初，中日兩國學人交流密切，相互迻譯的學術著作也累積不少。後來，雖因中共閉關政策，關係幾乎中斷。近十餘年間，中國大陸各大學的日本文化研究中心紛紛設立，翻譯、編輯有關日本漢學的著作可說目不暇接。全面介紹日本漢學的著作，也有《日本中國學手冊》、《日本中國學史》、《中日漢籍交流史論》、《漢籍在日本的流布研究》、《近代中日語學交流史稿》等書。反觀臺灣，雖曾為日本殖民地五十年，但未因語文上的方便，有密切之交流。自從斷交後，雙方關係可說降至冰點。近數年雖稍有改善，但在彼此缺乏了解的情況下，如何作進一步交流。要了解近百年來日本漢學家研究的貢獻，《東洋學の系譜》是最為簡明扼要的參考書籍。

　　這套書分為三集，第一集由江上波夫教授主編，收錄有那珂通世（1851-1908）至石田幹之助（1891-1974）二十四位漢學家。第二集也由江上波夫教授主編，收錄有瀧川龜太郎（1865-1946）至貝塚茂樹（1904-1987）二十四位漢學家。第三集是歐美篇，由高田時雄教授主編，收錄有比丘林（ビチューリン）（1777-1853）至艾伯哈特（エーバーハルト）（1909-1989）二十四位歐美漢學家。這套書是研究日本和歐美漢學的最佳入門書。一九九四年七月，我到日本九州大學文學部中國哲學研究室，擔任訪問研究員。由於遠離臺北的塵囂，來訪的客人很少，有比較充足的時間專注學術研究，我決定將《東洋學的系譜》第一冊翻譯成中文，這個翻譯稿在一九九五年六月《國文天地》第十一卷第一期（總一二一期）起，陸續刊登出來，總共連載了二十四期。

　　一九九七年九月至一九九八年八月，因獲得國家科學發展委員會的補助，我們全家五人同赴日本九州大學文學部，進行為期一年的訪問研究。當時，我與內人陳美雪教授，至九州大學留學生語言中心進修日語。三個孩子則是被安排在九州大學留學生會館對面的香陵小學校上課。因為孩子們的母語並非日語，所以老師特別對他們加強輔導。半年後，孩子們的日語都已是琅琅上口的程度。因為這次的經驗，為他們的語言能力奠下基礎。此後，大兒子林愷胤考入臺灣大學日本語文學系；二兒子林愷葳考入東吳大學日本語文學系。由於他們都擁有日語的專長，因此我請大兒子翻譯本書的第三集歐美篇；二兒子則是繼續翻譯江上波夫所編的《東洋學の系譜》第二集。我自己翻譯的部分，早在一九九五年至一九九七年已翻譯完畢。二〇一四年暑假，二兒子翻譯的部分也已經完成，待我看過校訂後，即可交稿。大兒子翻譯的部分，預計在二〇一五年暑假完成。這套書是以我們父子三人的力量，合力翻譯完畢，也是學術界一件有趣的事。

　　由於本書的原名為《東洋學の系譜》，但考慮到現代人既不知東洋學所指為何，也不知系譜的意義。因此，為了讓書名比較顯豁，故改名為《近代日本漢學家──東洋學的系譜》。希望這套書的出版，能為日本漢學的流傳略盡棉薄之力。我們都是日語的初學者，裡面可能有不少翻譯錯誤的地方，敬請海內外賢達賜予指教。

　　　　　　　　　　　二〇一五年六月三十日林慶彰誌於

　　　　　　　　　　　士林磺溪街知魚軒

一

那珂通世

（1851-1908）

愛知學院大學教授　田中正美

因那珂通世而創設的東洋史

　　那珂通世在我國（日本）歷史學界，作為東洋史的創設者，還有作為蒙古史研究的老前輩，他的名字已是古典化了。

　　關於把那珂當作「東洋史的創設者」的原因，作為那珂最大的知己，也可以說是無二的親友三宅米吉說：「明治二十七年高等師範學校校長嘉納治五郎氏會合同校教授、大學教授、高等中學校教授等，為中等學校有關各學科的教授作研究調查。當時，那珂君在歷史科的聚會，提議外國歷史應該分為西洋歷史和東洋歷史兩種。列席者全部贊成這提議，這就是東洋史科目的開始。」[1]根據這個，同年七月改正的高等師範學校校則，在二十九年的同校地理歷史專修科規程，各記載著本國歷史、東洋歷史、西洋歷史。因此，根據那珂的提議而議定的尋常中學校歷史科要領有「分世界史為東洋史、西洋史，在東洋史要特詳於支那史」，又說：「東洋歷史是以支那為中心，討論東洋諸國的治亂興亡的大勢，也是和西洋歷史相對，作為世界歷史的一半。」「在講授東洋歷史時，要注意我國和東洋諸國自古以來的相互影響如何，也要說明東洋諸國對西洋諸國的關係。」「以前支那歷史

---

[1]　〈文學博士那珂通世君傳〉，收入《那珂通世遺書》（東京都：大日本圖書，1915年8月）。

雖也說人種的盛衰消長，但只是以歷代的興亡為主。東洋歷史不僅要注意東洋諸國的興亡，也要顧及支那種、突厥種、女真種、蒙古種等的盛衰消長。」以下則列舉了講授的要目。（前引三宅所作的傳）

「東洋史」成立的背景

從以上三宅所說的來看，那珂創設「東洋史」，首先是對應西洋史的東洋史，接著，它的內容雖然自古以來都以中國史為中心，但卻不止如此而已，可以說應該包括東洋諸國和東洋諸民族。

由那珂所提議的「東洋史的科目」，正當日清開戰時期，是件歷史意義很深的事。日清戰爭爆發，直接把國民的關心強烈地導向大陸。但是，早已成為近代國家的日本，面對著急速上昇期的明治二〇年代，對於西洋，作為亞洲民族的日本人有很高的自覺；對西洋文化主張東洋文化獨自性的時代思潮也已形成。那珂提倡東洋史，基本上可以這樣的時代思潮作為背景。

他所說的東洋史，不僅要以中國為中心，也要把東洋諸國和諸民族的歷史作為內容範圍，這一點有以下的經過。從明治十九年至二十一年，那珂為了中等學校教科書，必須適當的編修支那史，計畫修改古來以《十八史略》等漢文學的支那史教科書，而編著《支那通史》。但是，書僅止於宋代，元代以後的記載並沒有。應該是元代根本史料的《元史》，編寫得很粗糙。在撰寫有關元代周到精確的通史時，中國不用說，在有廣大的蒙古族活動，且扼住東西兩世界交流要道的西域，他感到也有研究的必要。這個時期，明治二十一年（1888）初，同事三宅帶回西洋學者有關東洋的著作數十種，這對那珂研究的發展有很大的意義。那珂將西洋學者有關西域的書詳細閱讀，從它們研究的縝密、多彩多姿，受到很大的刺激和好處。這樣，三宅從西洋帶回的大量文獻，使那珂不僅將「支那史」的名稱，而且

實質地包括東洋諸國和諸民族的「東洋史」，成了轉變發展的契機。

還有，這裡非特別指出不可的是，因那珂而創設的東洋史，是從中等學校教育學科教授的立場提出，作為新學科目的東洋史，而且那是在所謂高等師範學校的教育之府，由嘉納校長主導議定實施的。在學問之府的大學，使用東洋史的名稱，比起這個要晚得多。明治四十三（1910）年，東京帝國大學文科大學才將支那史學科改稱為東洋史學科。

《支那通史》和《上古年代考》

《支那通史》是明治十九年（1886）起稿，同年九月起至二十三年十二月，第一至第四卷共五冊相繼刊行。按照新史學的開展，且作為支那史概說的名著而博得很好的評價。還有，用漢文書寫的理由是，即使在清國重刊流布也是受歡迎的。古來中等各學校用來做支那史教科書的是《十八史略》等，本書為了要取代它，所以用漢文書寫。那珂的意思是，和歐美的教科書比較的話，想把採取歐、美編史體裁的中國史，變成有古風而具儒教特色的中國史。福格（J. A. Fogel）說本書「作為近代的中國通史是世界第一本」，又說：「在敘述歷史事實的客觀性這點，是受到歐美研究法的影響。用漢文書寫這點，是沿襲漢學的傳統。」[2]

本書所根據的文明史觀，和內藤湖南相對照，在採用中國文化歷史性的停滯這一點，那珂強烈受到他直接師事的福澤諭吉的影響。福澤把史學家 Buckle 和 Guizot 當作座右，而寫的代表作《文明論之概略》，從比較文明論的觀點強調中國的停滯性。另外，把那發展成「脫亞論」。還有，像三宅所指出的，周到史料的蒐集和選擇的嚴

---

[2] 福格著，井上裕正譯：《內藤湖南》（東京都：平凡社，1989 年 6 月），頁 81、27。

密，敘述考證的精確等等，各方面兼備。這點和重視科學實證方法的福澤的歷史觀，有相通的地方。

那珂的實證歷史研究的手法，早在明治十一年一月發行的月刊小學術雜誌《洋洋社談》（第 38 號）刊載的〈上古年代考〉中已可看到。這篇從中國、朝鮮的古史比較研究，來究明我國（日本）上古年代的不正確性和謬誤，以及有意把歷史拉長的跡象。後來，因三宅米吉的邀請，在三宅歸國後創刊的學術教育雜誌《文》，將全篇增補改作，題名《日本上古年代考》，在明治二十一年九月刊行的第一卷第八、九號連載。又依照三宅的提議，而向學校徵詢論說考證的可否，喚起了贊成、反對兩種說法，那珂的名聲也大大地提高。這樣，從明治二十六年至二十九年，〈朝鮮古史考〉、〈魏志倭人傳〉、〈高句麗古碑考〉等力作相繼發表。這些全收入他編修的《外交繹史》中，這是環繞著日本古代國家的形成等問題作為研究出發點而完成的著作。

元史研究和世界的名著《成吉思汗實錄》

那珂這種東洋史研究的發展，不久他要面對的最大懸案是元史研究。那珂從三宅那邊借來美連道魯夫（德國人）用英語寫的《滿州語文典》和休米德（俄國人）用德語寫的《蒙古語文典》、《蒙‧德‧俄辭典》，自力學習德語和俄語，並熱中滿州語、蒙古語的解讀。這種令人驚嘆的努力，從明治二十九年一直持續到晚年。其間，從明治三十二年至三十五年，和承湖廣總督張之洞之命兩次來日長期停留作學制調查的陳毅見面，談到元代史料在我國（日本）相當貧乏，囑託寄送這方面的史籍。陳歸國後，寄來《皇元聖武親征錄》（何秋濤、張穆、李文田、沈曾植校）、《雙溪醉隱集》、《元儒考略》、《元朝秘史李注補》（李文田著），其次《黑韃事略》的抄本等。那珂元史研

究的苦心和進步的跡象，從《校正增注元親征錄》、《元史譯文證補》
的校勘本（明治三十五年）等成果顯示出來。這元史研究的發展過
程，對那珂來說，最高興的是偶然和蒙古文《元朝秘史》相遇的事。
那珂經同是南部藩出身的知友《萬朝報》的論說記者內藤虎次郎（湖
南）的介紹，和明治三十三年二、三月來日的清國翰林院侍讀學士，
以變法派官僚有名的文廷式，有日夕相會的機會。當時的話題偶然談
到元史，文氏知道藏有蒙古文《元朝秘史》的事。該書由正集十卷、
續集二卷構成，漢字音譯的蒙古文和連各個詞的漢字旁訓，另附有明
朝俗文意譯，可說是稀有的書。因此，那珂和內藤懇囑文氏寄送該書
的鈔本。明治三十四年末，好不容易鈔本的一部份被送到內藤的眼
前，內藤馬上影寫一份給那珂。

　　那珂得到這書後，立志把蒙古文翻譯成正確的漢文，他運用前
文提到美連道魯夫、休米德的文典、辭典，猛用功所得的蒙古語知
識，專力去做翻譯工作。那珂不僅做適確的翻譯，為了確證史實，他
調查中國和西洋的各種書，並加以注釋，前後幾乎三年，明治三十八
年十月左右，全書十二卷的漢譯及注釋終於完成。這有名的《成吉思
汗實錄》，明治四十年一月刊行，在當時不僅是我國（日本），而且
是世界性的名著，在蒙古史研究上有劃時代的意義。內藤把那珂、洪
鈞[3]、柯邵忞[4]合稱為「蒙古史研究的東洋三大家」[5]。

　　那珂又著手編著《成吉思汗實錄續編》，但是留著未定稿，還有
立志作蒙古文典。明治四十一年三月二日因心臟病發作逝世。時年五
十八。三宅悲傷地說，這「實在是國家的損失，應該是學界的不
幸」。

---

[3]　《元史譯文證補》的著者。
[4]　《新元史》的著者。
[5]　《支那史學史》（東京都：清水弘文堂書房，1967 年 3 月）。

那珂通世和內藤湖南的地緣、血緣

　　那珂通世是嘉永四年（1847）正月六日，作為南部（盛岡）藩士藤村源藏政德的第三子生於盛岡城下。幼名莊次郎。早先和長兄壯助（後來改名胖）一起到藩黌明義堂通學，他那優秀的學才受到藩黌教授江幡五郎通高（號梧樓）的注目，九歲時被收為養子。藩主在文久二年將學校擴張成新的作人館時，通高仍被舉為教授，六、七年間專作培育人才的事。那珂在元治元年十四歲時，入籍養父家，改名江幡小五郎通繼。

　　養父通高當作人館教授時，內藤虎次郎（湖南）之父調一（號十灣），來拜他為師，受到強烈的影響，對吉田松蔭和賴山陽極為傾倒，還有平民宰相原敬也是受到他的教導，這實在是很有趣味。又內藤的妻子郁子，是在作人館受教於通高的那珂學友田口多作的長女，而且通高之父童春通英是出於田口家，入江幡家作養子，這可說是奇緣。[6] 還有，明治三十六年五月，留下「巖頭之感」，投身日光華嚴瀑布的一高生藤村操，是那珂長兄胖的三男。

　　是秀才，同時是熱血漢的通高，十八歲時被舉為近臣，脫藩後在江戶和吉田松蔭、久坂玄瑞相識，有很深的交情，回國後作為藩黌教授，努力於教育的刷新。戊辰戰爭發生，奉藩命參加奧羽諸藩的會盟，戰敗以後，和藩主父子一起，因國賊的罪名，被送到東京，他在思想、政治上，在革新和守舊間激烈的擺動。其間，明治二年二月，通高因前藩主之命，把先祖在故地常陸國那珂鄉所稱呼的那珂舊姓加以恢復。又同年六月，養子通繼也改名通世。

---

[6] 千葉三郎：《內藤湖南及其時代》（東京都：國書刊行會，1986 年 12 月），頁 33、48-49。

那珂通世和三宅米吉、及嘉納治五郎

　　那珂通世在青年期激盪的時勢中，和身邊的苦難掙扎，有志於新時代的學問英學，明治五年（1872）二十二歲時，入福澤諭吉的慶應義塾的變則部（速成科），和那珂幾乎同時，當時十三歲的三宅米吉是入同塾的正則部（普通科）。兩人各在上級生的大人寮和年少者的童子局，有了間接相識的機會。自那以來，那珂有關教育和學問的各種活動，如果拔除與三宅這種密切的關係的話，就沒法說下去。

　　那珂是明治十年十二月，二十七歲時被聘為千葉師範學校教師長兼千葉女子師範學校教師長，一年後成為千葉師範學校校長兼千葉女子師範學校千葉中學校總理。翌年即十二年十一月，轉任東京女子師範學校訓導兼幹事，明治十一年創立的千葉中學校是在那珂做總理時開校，那珂在任中的學生，後來作為東京帝國大學教授，東京的東洋史學界的泰斗白鳥庫吉，和大正六年（1917）十一月的石井・蘭辛協定而知名的石井菊次郎等都是。那珂轉任東京的翌年，三宅成為千葉中學校教師，白鳥和石井受他的教導。白鳥、石井同時是那珂、三宅培育成學。特別是三宅，兩人後來入大學預備門時，到當時任職東京師範學校的三宅所住的石川傳通院內貞照庵，一起同住，早晚受三宅的薰陶。

　　那珂在明治二十一年十二月，曾一度擔任高等師範學校幹事，經歷高等師範學校支那歷史老師、第一高等中學校漢文支那歷史授業老師。明治二十七年四月擔任第一高等中學校教授兼高等師範學校教授，明治二十八年四月以後，僅擔任高等師範學校教授。同一時候，三宅也擔任高等師範學校教授。那珂和三宅各自擔任東洋史、國史，以高等師範學校史學雙璧受到推重。當時高等師範學校校長是明治二十六年到任的嘉納治五郎。嘉納是有大度量的指導者，為了要培育以

教育為天職的人才，他就任校長以來，為了一百名的學生，聘請了足以跟帝國大學相比擬的老師。如就史學來看，那珂、三宅之外，有箕作元八、白鳥庫吉、桑原隲藏等人。白鳥、桑原後來成為東京、京都兩帝國大學東洋史的創始者，是應該特別提出的。但是，高等師範學校和嘉納的目的信條，本來就是為了培養教育者的，學生在純粹學問的志趣上，有一定的限制也是不容否定的。那珂從明治二十九年五月起至三十七年七月止，兼任東京帝國大學文科大學講師。在支那語學第三講座，擔任塞外諸民族、滿韓，以及關於西域課程時的學生箭內亘[7]繼承了他的蒙古史研究；還有，明治三十七年由弟子白鳥取代他的職位，以塞外史作為特色的東洋史學繼續發展。而後，那珂的同事三宅，在大正九年初繼承嘉納，務必要超越上述所言高等師範學校的偏限，傾全力去創設作為學問之府的文理科大學。

---

[7] 明治三十一至三十四（1898-1901）年在學。

主要著書・評傳

1 《那珂通世遺書》 故那珂博士功績紀念會編 大日本圖書株式會社一九一五年八月

2 《支那通史》四卷五冊 那珂通世編 大日本圖書株式會社一八八八年九月～一八九〇年十二月

3 《支那通史》 上中下三冊 那珂通世編，和田清譯 岩波書店一九八三年九月～一九四一年十二月（岩波文庫）

4 《元史譯文證補》 清國洪鈞撰，那珂通世校訂 文求堂一九〇二年十月

5 《那珂東洋略史》 那珂通世撰 大日本圖書株式會社一九〇三年十二月

6 《成吉思汗實錄》 那珂通世譯注 大日本圖書株式會社一九〇七年一月

二

林　泰輔
（1854-1922）

東京成德短期大學副校長　鐮田　正

其人和學風

　　說到林泰輔，年輕的研究者中，或者已把他忘記了也說不定。但他是明治、大正期間作為東洋學先驅者而活躍著的偉大漢學家。

　　安政元年（1854）九月，生於千葉縣香取郡常磐村（現在的多古町松崎）的財主家。名直養，字浩卿，通稱泰輔，號進齋。入年輕的鄉土朱子學者並木栗水（1829-1914）之門，學習程朱之學。明治二十年（1887）七月，東京大學古典講習科漢書課卒業。同科的學友中，東洋史學的泰斗市村瓚次郎，以《日本漢文學史》這一名著而有名的岡田正之，《史記會注考證》的著者瀧川龜太郎的高材，可說並轡輩出。在學中，學習島田篁村的學風，以確實資料作實證的考證學作為研修學習的基本工夫。

　　畢業後，統歷第一高等中學校特聘人員，山口高等中學校助教授，東京大學文科助教授。明治三十二年四月，東京高等師範學校講師。明治三十五年四月以來，文部省國語調查委員會補助委員、國語教科書編纂委員。明治四十一年九月，成為東京高等師範學校教授。大正三年（1914）七月，提出《上代漢字の研究》的論文，被授與文學博士學位。翌年即四年九月因刊行《周公と其時代》的著作，翌年七月，榮獲帝國學士院頒授恩賜賞。又同年十一月，《論語年譜》二

卷的大著刊行，大正十一年（1922）四月七日，卒於東京高等師範學校的教職上，年六十九歲。他的大部分藏書收藏在筑波大學附屬圖書館，金文甲骨關係文獻和甲骨片收在東洋文庫，未刊稿本收在慶應義塾大學附屬研究所斯道文庫。

　　林泰輔的閱歷和著作的明細，在昭和二年，收錄他的代表論文四十編而刊行的《支那上代之研究》的附錄，載有《年譜》和《著作目錄》。在這裡，省略不談，但學生時代寢食相共的學友瀧川龜太郎，在這書的序文中，說到林泰輔這個人，有這樣的批評：

> 不喝酒、不抽菸、不下圍棋、不下將棋，也不好書畫骨
> 董，到學校的講習外，終日對書桌端坐，讀書執筆而無餘
> 念，這是亡友林浩卿博士每天的生活。

　　他是持身謹嚴端正，一直熱心於學問和教育，真摯篤學的漢學家。

　　還有，林泰輔在大正九年二月所寫的隨筆〈楷樹和蓍草〉一文還保存著[1]。那是湯島聖堂境內所存楷樹和占筮用蓍草（鐵掃帚）的實態調查。湯島聖堂的楷樹是大正四年林學博士白澤保美，出差山東省途中，參詣曲阜孔廟時，撿拾墳墓上的楷樹種子回國，將其播種培養，於大正六年將樹苗移植於聖堂。這可說是楷樹傳來我國（日本）的嚆矢。還有，關於蓍草，在我國（日本）是叫「鋸草」、「羽衣草」，或是「蓍荻」，可說是眾說紛紜，但大正七年五月，拜訪曲阜孔廟時，在孔林中見到那實物，把那幼苗帶回，種在庭院很繁茂，大正八年四月，送給湯島聖堂。蓍草，《說文》說是蒿之屬，可說和「羽衣草」、「鋸草」完全相異的草，說文以「語曰：百聞不如一見，真不我欺也」作結。

---

[1] 〈楷樹和蓍草〉，《斯文》第 1 編第 1 號。

　　這隨筆才是從足以憑信的實錄和實地勘察的實物，去弄清楚真相，和依照確實資料實證工作的考據是相通的。如前面瀧川氏所評，真摯篤學的漢學者林泰輔，堅持考證學的學風，有什麼樣的業績讓他一直被稱為東洋學開發的先驅者？以下將順著他的年代略作介紹。

朝鮮史的創始

　　林泰輔在明治二十五年（1892）十二月，刊行《朝鮮史》五卷。比這稍早，從明治二十五年五月和十二月，發表〈朝鮮文藝一班〉[2]，二十三年一月，發表〈任那考〉[3]，二十四年十二月，發表〈加羅の起源〉[4]等論文，大學畢業後，馬上著手朝鮮史的研究。漢學者的林泰輔，寫作《朝鮮史》的目的是，像他在自序所說的，對我國（日本）古代文化的開發貢獻甚大，和有一衣帶水、唇齒輔車的密切關係的朝鮮，有很深的親善友好，為了謀求通商的相互利益，非理解他們的歷史不可。可以說今日的課題是在他的卓識之下寫出來的。在著者的壯年，作為一位經世實學者，應該要給他較高的評價。

　　本書本來從開國寫到近世，執筆時預定區分為太古、上古、中古、近世四期，但僅止於第三期的中古史。本書刊行後，著者也有關於朝鮮的論文陸續發表，明治三十四年六月，接續前書，刊行《朝鮮近世史》二卷。著者在朝鮮史的著述，所用的精力如何，是不難想像的，特別值得注意的是《朝鮮近世史》所載引用書目的廣泛。當時可說全無類書，雖然資料是那麼難蒐集，但在和、漢、朝三國蒐集資料達三百種，而且因為從朝鮮傳來，不能直接查明原本的，就在《燃藜室記述》的書裡，加上〇的印記。這應該如實說明了依確實資料而做

2　〈朝鮮文藝一班〉，《東洋學會雜誌》第 1 編第 6 號、第 2 編第 2 號。
3　〈任那考〉，《東洋學會雜誌》第 4 編第 1 號。
4　〈加羅の起源〉，《史學雜誌》第 2 編第 25 號。

實證論述的考證學風，由於這點，他開了後來朝鮮史研究端緒的先驅業績是可以大大地看出來的。

經學上劃時期的研究

上述朝鮮史的研究，顯示了林泰輔整個史學的面貌。在中國古代的研究涉及史學的也不少。反駁白鳥庫吉〈堯舜禹抹殺論〉四回，以及《堯舜禹抹殺論に就て》[5]，是有關中國古代史的問題，同時也是經學上有關聯的重大問題。堯、舜、禹三天子，在以《尚書》、《論語》作為儒學的經典上，佔有重要的地位。驅使他那專門的考證學，駁倒白鳥氏的論文。作為經學者，那種他人不能企及的氣概，讓人凜然正襟。

林泰輔從那時起，埋頭於孔子作為先聖而景仰的周公的事跡，和據說是周公所作的《周禮》的研究，陸續發表〈周官に見えたる人倫關係〉[6]、〈周公東征考〉[7]、〈周官に見えたる衛生制度〉[8]、〈周官制作時代考〉[9]等論文。大正四年九月，《周公と其時代》的大著刊行。本書是在論究，在周室創業守成的時代，作為周朝元勳而活躍著，建立周代文物制度而被稱讚的周公事蹟和他的學術思想，並弄清楚《周官》、《儀禮》及《周易爻辭》是否根據周公的思想而來。因是經學上畫時期的研究，翌年七月，帝國學士院授與恩賜賞，中國的大學問家王國維也說：

---

[5] 明治四十四年二月至大正元年九月（1911 年 2 月至 1912 年 9 月），《東亞研究》第 1 卷第 1 號、《漢學》第 2 編第 7 號、《東亞研究》第 2 卷第 1 號、《東亞研究》第 2 卷第 9 號。

[6] 〈周官に見えたる人倫關係〉，《東亞研究》第 2 卷第 10 號（1912 年 10 月）。

[7] 〈周公東征考〉，《東亞研究》第 3 卷第 2、3 號（1913 年 2 月 3 日）。

[8] 〈周官に見えたる衛生制度〉，《東亞研究》第 3 卷第 9 期（1913 年 9 月）。

[9] 〈周官制作時代考〉，《東亞研究》第 3 卷第 12 號（1913 年 12 月）。

　　讀大著《周公及其時代》，深佩鑽研之深博，論斷之精。

　　於考定《周官》、《儀禮》二書之時代，尤卓識有徵，誠

　　不朽之盛事。

　　依這絕佳的贊語，本書學術上的價值是可以評斷的。從今日來看是有可討論的地方，但在當時，博讀精查文獻資料，努力做考證，慎重下論斷的這本書，在今日仍有很高的評價。昭和六十三年九月名著普及會復刊這書，應該是學界值得慶幸的事。

　　接續前書的經學上的大著是大正五年十一月刊行的《論語年譜》二卷。這書是為了要祝賀愛讀《論語》而將其活用於處世之上的實業家澀澤青淵的喜壽（七十七歲誕辰），由阪谷芳郎男爵提議，三上參次、荻野由之、和田英松、中山久四郎、荻原擴、諸橋轍次等協助，據說僅花十個月的日子即完成。

　　本書是對作為儒學經典，很早即傳入我國（日本）而受到尊重的《論語》，以它的史實、傳述、鈔寫、刊刻四方面作為基柱，從漢高祖五年（B. C. 202）到大正四年（1915），大約二千一百年間，廣泛蒐集和、漢及其他的資料，按年代順序加以記錄而成。在作為理解《論語》的普及和其文化的開展，有不可計量的貢獻。而且，以實事求是作為基本的著者，求資料的正確比什麼都重要。這件事，從協助參加本書編纂的諸橋轍次博士的〈懷古談〉可以看到。

　　那是在昭和五十一年一月從國書刊行會復刊本書的序，諸橋博士曾說，在《十八史略》可見到宋名臣趙普所說的「以半部《論語》輔佐太祖定天下，以半部《論語》輔佐太宗致太平。」要求諸橋在正史中查尋這句名文的原典，但沒有找到。依林泰輔之命更將浩瀚的《宋史》讀三次也沒有找到，這樣的話應查尋宋代的雜家類。好不容易在羅大經的《鶴林玉露》中發現。這告訴我們本書記事的正確和著者的學風。

關於林泰輔的《論語》研究，本書之外也不少。作為遺稿而保留
下來的《論語源流》二卷，依據他的自序，在大正四年大概已完成，
昭和四十六年二月，汲古書院以影印本刊行。每葉分上、中、下三
欄，中欄載《論語》本文，用漢、唐石經和唐寫本，以及傳到我國
（日本）的古鈔本作嚴密的校勘；應該看作《論語》泉源的孔子以前
的話語，放在上欄；應該看作它的展開支流的戰國、秦、漢諸家的話
語，放在下欄。這又是和《論語年譜》一樣，以著者獨創的想法為基
礎所作的著述。

還有，大正三年九月刊行的《四書現存書目》，詳細收錄我國
（日本）現存《四書》的書目，還有大正七年刊行的《書經講義》。
此外，襲用清朱彝尊《經義考》的體裁而作的《日本經解總目》、《日
本諸子解總目》的遺稿，據說還存著，但未見。

總之，林泰輔作為東洋學基礎的經學研究，開拓了前人未到的
領域，對後來的研究說有極大的助益，也不會太過分。

龜甲獸骨文字研究的先驅

林泰輔作為東洋學的先驅者應該特別提出的是，是我國（日本）
龜甲獸骨文字研究的先河。他那震動學界的論文是從明治四十二年八
月在《史學雜誌》[10]連續三期發表的〈清國河南省湯陰縣發見的龜甲
牛骨に就きて〉。這是清光緒二十五年（1899）從河南省湯陰縣的殷
墟發掘出的龜甲獸骨文字，依據清劉鐵雲所刊行的《鐵雲藏龜》，來
看它的真偽問題。當時我國（日本）學界都以白眼看待這件事。林泰
輔把它作精詳的考證，認為那是中國古代研究極為貴重的資料。這篇

---

[10] 〈清國河南省湯陰縣發見的龜甲牛骨に就きて〉，《史學雜誌》第 20 編第 8 號、
第 9 號、第 10 號（1908 年 8 月）。

論文，給我國（日本）學界的衝擊不小，據說刺激這門學問的大家羅振玉，執筆刊行《殷商貞卜文字考》。（《敦煌學五十年》，神田喜一郎，〈貝塚教授の甲骨文字圖版を手にして林泰輔を憶う〉）

　　林泰輔在這篇論文之前也發表過〈周代書籍の文字及び其傳來に就て〉[11]、〈周代の金石と經學史傳の文字〉[12]，還有發表〈說文考〉[13]、〈說文と金石文〉[14]等論文。從這點來看，不僅甲骨文字，進而研究金石文也是可理解的。以這種研究為基礎，大正三年七月，因《上代漢字の研究》的論文被授與學位。這論文因印刷不容易沒有刊行，手稿本收藏在慶應義塾大學附屬研究所斯道文庫。由古文、籀文、小篆三編構成，評論各類文字的形成和變遷，以及相互間的關係。附錄收《支那上代筆墨書冊考》、《岐陽石鼓文考》、《參考書目及び金石文書解題略》。這些是很貴重的論考，埋沒的話相當可惜。

　　學位取得後，繼續金石甲骨的研究，發表〈羅王二氏の王賓に關する答書〉[15]、〈殷墟の遺物研究に就て〉[16]、〈龜甲獸骨に見えたる地名〉[17]等論文。最後的論文應該說是〈支那上代の研究資料に就て〉，大正十年四月和六月發表。[18]在中國上代的研究，他提出，除經書、諸子及史書等文獻外，也應搜求龜甲獸骨文、銅器文及銅器、

---

[11]　〈周代書籍の文字及び其傳來に就て〉，《史學雜誌》第 18 編第 5 號、第 8 號（1907 年 5、8 月）。

[12]　〈周代の金石と經學史傳の文字〉，《史學雜誌》第 20 編第 4 號（1909 年 4 月）。

[13]　〈說文考〉，《漢學》第 1 編第 2 號（1910 年 6 月）。

[14]　〈說文と金石文〉，《漢學》第 1 編第 2 號（1910 年 6 月）。

[15]　〈羅王二氏の王賓に關する答書〉，《東亞研究》第 5 卷第 12 號（1915 年 12 月）。

[16]　〈殷墟の遺物研究に就て〉，《東亞之光》第 14 卷第 5 號、第 6 號（1919 年 5、6 月）。

[17]　〈龜甲獸骨に見えたる地名〉，《斯文》第 1 編第 3 號、第 8 號（1919 年 6、8 月）。

[18]　〈支那上代の研究資料に就て〉，《斯文》第 3 編第 2 號、第 3 號（1921 年 4、6 月）。

貨幣及兵器古鈴、石器及玉器、土器、刻石文等六個領域的資料。他
將各個領域資料的實態詳細舉例,加以解說。他強調這些資料應該和
《詩》、《書》等古代文獻作比較研究。這真可說是為後學提示研究這
門學問的遺言書。最後他說,古代文獻的真偽不應隨便討論,在文獻
之外,廣泛地搜求上述所說的資料作綜合研究是很重要的。他警告不
應求一時之快而耽於空想的假說,這應該也是他考證學的見解,最直
截了當的表示。

　　林泰輔直接到安陽的殷墟勘查是大正七年四月,當時在中國出
差的門人諸橋轍次一起同行。那時,除骨片若干之外,也採集帶回土
器、玉器的破片和齒牙類。又大正十年,又囑咐當時在中國留學的諸
橋,再作實地勘查,當整裝準備出發,據說因現地排日運動很激烈,
最後沒有實現。

　　林泰輔把自己蒐集的甲骨文字和三井源右衛門、中村不折、河
井廬廬等人的藏品作為資料,選擇羅振玉《殷墟書契》所遺漏的,於
大正十年七月刊行《龜甲獸骨文字》二卷。又有《龜甲獸骨文字表》
六冊遺稿存在斯道文庫。這書,林氏將所蒐集的資料,分為天象、神
祇、人體、家屋及器物、動植物等六類。是把龜甲獸骨文字研究的成
果全部整理起來。

　　還有,林泰輔所藏甲骨卜辭五百九十一片,在昭和五十四年三
月,以《東洋文庫所藏甲骨文字》之名,由東洋文庫刊行。

　　可惜的是,大正十一年四月,他六十九歲時逝世了。如果允許
他多活幾年,把他的博識活用在中國古代的研究上,是不是有更令人
刮目的大成果呢?後來以貝塚茂樹為中心而盛行的甲骨學研究,不可
忘了作為先河的實在是林泰輔。又沒有人能繼承他的甲骨學,在經學
研究方面,因《大漢和辭典》這本大著作,而活躍於學界的門人諸橋
轍次博士的出現,深感那絕不是偶然的事。

主要著書・評傳

1　《朝鮮史》五卷　一八九二年

2　《朝鮮近世史》二卷　一九〇一年

3　《漢字要覽》一卷　一九〇八年

4　《朝鮮通史》一卷　一九一二年

5　《四書現存書目》一卷　文求堂　一九一四年

6　《周公と其時代》一卷　大倉書店　一九一五年　（名著普及會
　　重印一九八八年）

7　《論語年譜》二卷　大倉書店　一九一六年（圖書刊行會修訂重
　　印　一九七六年）

8　《龜甲獸骨文字》二卷　商周遺文會　一九二一年

三

市村瓚次郎

（1864-1947）

東京教育大學名譽教授　中嶋　敏

　　市村瓚次郎在明治三十一年（1898）七月，就任東京帝國大學文科大學助教授以來，至大正十四年（1925）三月，東京帝國大學文學部東洋史學科教授定年退官的二十七年間，指導教育支那史學或東洋史專攻的學生，可舉出培養很多優秀學者的功績。

市村瓚次郎和白鳥庫吉

　　和市村在東大任職期間幾乎同時，同樣是東洋史學科任職的是白鳥庫吉。受到魯道威西・利斯的薰陶，學會西洋的科學的歷史研究法。對著進行滿鮮、蒙古、西域（中央亞細亞）諸地域的歷史研究的白鳥，和以漢學的素養為基礎，一心作新的支那史研究的市村，在東大東洋史學科既是好同僚，也是對手，領導著日本的東洋史學界。

　　他們的門下，從明治後期至大正年間，又一直到昭和時期，推進我國（日本）東洋史學研究的大量人才出現了。現在，翻閱東大東洋史學科畢業生的名錄，看看明治三十四年以來的畢業生，可以發現很多名字在學界是很有名的。可以舉例的大學者有箭內亙、松井等、今西龍、池內宏、加藤繁、羽田亨、橋本增吉、原田淑人、鳥山喜一、重松俊章、和田清、清水泰次、石田幹之助、岩井大慧、植村清二、三島一等人，全部都是市村、白鳥時代東大東洋史學出身的傑出

人物。

看看市村在東大所開課程的名稱，是兩漢史、南北朝史、宋史、支那史籍考、支那史概說、支那思想史、清朝建國史、元明史、唐代制度考、支那學藝史、支那文化史考、支那歷代思潮等。大概加以觀察，可以說以支那史概說、支那思想文化史為主。

市村在教育上的貢獻，不僅限於東大一地。早年任職學習院，從明治四十一年在早稻田大學開課，以後長期繼續下去。此外，曾在國學院、大東文化學院、立教大學、京城帝國大學、臺灣帝國大學等講過課，又擔任國學院大學校長（昭和八年到十年），他的教育指導的範圍是廣大的。

又昭和五年，東方文化學院東京研究所開設，他擔任指導員。在這裡受他指導的有，研究歷史地理學的青山定雄，和研究中國古代思想史的板野長入。

編纂《支那史》

市村瓚次郎是元治元年（1864）八月九日，生於常陸國筑波郡北條（現在茨城縣つくば市）。明治十年（1877）上京，入渡東嵎、小永井小舟之門學習漢學，又入明治法律學校（明治大學的前身）。明治十七年入學東京大學古典科漢書課。

明治初年，繼承德川幕府聖堂昌平黌的大學本校是教授國學、漢學；和泉橋的大學東校是以德語為主，教授醫學；一橋的大學南校是用英、德、法語教授歐美百科之學的學制出現了。可是，明治四年文部省創設，同時吸收了這形式，廢止了大學本校。此後，大學東校改稱醫學校，大學南校改名為開成學校，繼續辦下去。每個學校皆教授醫學和洋學。這些在明治十年四月統合成東京大學。本來大學本校在國學、漢學方面的研究、講授，現在沒有了。因此，明治十六年，

東京大學總管加藤弘之和教授中村敬宇（正直）、島田篁村（重禮）相談，要在文學部新設古典科。在其中設國書課和漢書課，培育國學、漢學研究人材。

這時市村入學漢書課。當時入學者，國書課有荻野由之、關根正直、落合直文、小中村義象，漢書課有岡田正之、林泰輔、西村時彥等人，為後來學界產生很多人才，市村也在其中。加藤總管們開設新學科的計畫，可以說得到大大的成功。

市村學術研究的領域，如前述在東大所開課目所看到的，是涵蓋支那思想史、文化史、學藝史、史籍研究等。前後一貫用力最深的是，時代史的支那史概說。通觀支那史是他從早年起的目標。從瀧川龜太郎在《市村博士古稀記念東洋史論叢》所作的序中引述的，在明治二十年七月大學畢業的謝恩會上，市村提到將來的抱負：

> 從來東洋的學問是尚未開拓的領域，支那的研究免不了有所謂支那式粗陋的所在。例如，記載古來支那和外國關係的雖然很多，但大抵不說大秦國是東羅馬的異名，如果是這樣的話，即使翻閱正史的外國傳和其他的史書，要弄清楚當時的國際關係也是不可能的，這是讀支那歷史的人深感遺憾的地方。又支那的歷史，正史和其他史類都具備，好像頗為完整，但緊要的記事比較少，要掌握它的要領並不容易。所以，非從其中取捨折衷而得其簡要不可。所以擔任此等工作者，應了解自己責任的重大。

為了實現大學畢業時的抱負，翌年馬上著手編述《支那史》，明治二十二年《支那史》卷一、二，由吉川書店出版，二十三年出版卷三、四，二十四年出版卷五，二十五年出版卷六，《支那史》的編述也完成。接著簡化這書，於明治二十六年出版《支那史要》卷上和附圖，翌年即二十七年出版卷下和附圖。

從支那史到東洋史

　　明治三十年，市村的《東洋史要》上下兩卷，由吉川書店出刊。
書名從支那變成東洋。內容跟著變化，不用說也知道。這書反映了當
時學界、教育界的趨勢。

　　對作為西洋諸國歷史的西洋史（又叫西洋歷史），另立東洋諸國
歷史的東洋史（又叫東洋歷史），提倡外國歷史應由這兩者構成的是
東京高等師範學校教授那珂通世。這是明治二十七年的事。那是從中
等學校教育學科教授的立場提起的意見。同年七月改正的高等師範學
校校則，和二十九年同校地理歷史專修科規程中，本邦史、東洋史、
西洋史明白記載著。提議設立東洋史科目，是面對著明治二十年代，
近代國家上昇期的日本人，作為亞細亞民族的自覺，對西洋文化主張
東洋文化存在的心志，是以日清戰爭為契機而高揚起來的事有強烈的
關聯。[1]

　　這時，東洋史或者題為東洋歷史的概說書，主要是作為中等學
校教科用的有幾種刊行。管見所及的，明治二十八年九月東京富山房
出刊的文學博士坪井九馬三閱、文學士宮本正貫所著的《東洋歷史》
上下二冊，明治二十九年七月東京文學社發行，藤田豐八編纂的《中
等教科東洋史》，明治三十六年那珂通世發刊《那珂東洋小史》[2]。市
村的《東洋史要》，可說是在那種潮流中產生的。但是，關於大學制
度，從明治二十七年九月以來，東京帝國大學文科大學史學科「支那
史學」的名稱，改稱為「東洋史學」，那是更晚的明治四十三年的事
情。市村和白鳥一起擔任東洋史學科的教授。

---

[1]　田中正美：〈東洋學の系譜——那珂通世〉，《しにか》1991 年 3 月號。
[2]　《那珂東洋小史》（東京都：大日本圖書，1903 年）。

《東洋史統》的著作

　　《支那史》、《支那史要》、《東洋史要》，各書都與當時社會的期待一致，反映需求而重版，但編述更精深博大，反映學界進步機運的新的大著作，要達成這種願望是市村所考慮的。

　　明治三十一年以來，在東大和其他大學，連續多年開設支那各時代史的課程，把那些累積的教材修正而以《東洋史統》為名的大著出現了。作者以少年時代所涵養的深厚的漢學造詣，這書在中國各王朝的政治和各時代的思想、文化的領域，以廣博的識見和犀利的分析，給予綜合的觀察。那是以前各本通論的書所看不到的，即使在今日的學界，仍舊保有被推薦讚賞的學術價值。

　　《東洋史統》第一卷開頭所載的凡例之一說：

> 本書以支那為中心，擴及東洋諸國，以敘述各國的興廢、
> 民族的盛衰，以及各種文化的發達，乃至變遷為目的，特
> 別著重於各國家、民族相互的政治關係，以及勢力的消
> 長，也著重各種制度及社會經濟的狀態，乃至學術思想，
> 和其他一般文化的發達、變遷，並試著儘可能處理和政治
> 勢力的關係、消長的相關聯問題。

以支那（中國）為中心而拓及東洋諸國的歷史，去探究相互的政治關聯，掌握東洋史中有機的關係。遍及空間廣大的亞細亞各地域，對政治、社會、經濟、文化各領域的理解和識見是有必要的。因此，跨出市村得意的領域之外的必要之事也很多。橫跨太平洋戰爭前後所進行的亞細亞諸地域的民族的研究，和中國社會經濟史的研究等領域，努力於新研究的吸收，很用心於確保現在的學術水準。在他的高足中，有蒙古史研究泰斗的和田清，和中國經濟史開拓者加藤繁等人，他們

和恩師間的相互討論也是可能的，在早稻田大學的弟子栗原朋信，和
茶水大學（中央大學）教授的市古宙三等年輕人的幫助，大概也不能
忘記吧！

昭和十四年（76 歲）十二月，《東洋史統》第一卷，由東京富山
房刊行。本文八六八頁。

上世篇　　　　　從上古到春秋戰國時代
中世篇（上）　　從秦的統一到三國時代
中世篇（中）　　南北朝時代

翌年十二月，第二卷刊行，本文七三〇頁

中世篇（下）　　從隋唐到宋金

又昭和十八年七月，刊行第三卷，本文八三二頁

近世篇（上）　　明時代

此時，太平洋戰爭更加激烈，在戰局一路惡化的情勢下，繼續出版本
書是不可能的，接著而來的是敗戰的悲慘結局。昭和二十年左右，第
四卷的校正大概結束，排好版的紙型也出來了，但是著者在昭和二十
二年二月以八十四歲的高齡逝世，生前出版這書的事終於沒有完成。

在敗戰後的混亂和物資缺乏的情況下，本書第四卷的發行變得
很困難。在和田、栗原、市古諸氏的獻身努力，於昭和二十五年十月
終於出版。近世（下），從清代、清朝的革命，到中華民國的政情、
內外形勢的變化，本文九七七頁，後記（市村毅、和田清）一〇頁，
年譜八頁，正誤一九頁的巨著。

　　本文達到菊判三三九七頁的東洋通史著述的刊行在此宣告完成。如此浩瀚內容的東洋通史，是從來沒有的，即使當今也是如此。德國的支那學泰斗鄂圖・法蘭克（Otto Franke）的《支那國史》的著作，勉強可相比擬。《支那國史》由一九三〇年刊行第一冊，一九三七年刊行第三冊，這是從古代至唐末的敘述。其他各冊因大戰更加激烈，無法繼續刊行，一九四六年鄂圖逝世後，高足富利茲・耶卡教授和鄂圖夫人陸伊杰、兒子們的努力，整理遺稿，第四卷在一九四八年，第五卷至一九五二年刊行。至蒙古帝國時代的中國通史已公開。《支那國史》的刊行，以二十二年的歲月，寫到蒙古帝國；《東洋史統》的刊行，以前後十一年的歲月，一直寫到民國成立。兩書的作者都在大作將近完成時過世，著作事業由門弟子完成。見到東西世界幾乎同時發生相類的事例，不得不令人覺得奇怪。

　　市村的支那研究論文數量很多，那是收入《支那論集》（富山房，大正五年）、《文教論集》（大倉書店，大正六年）、《支那史研究》（春秋社，昭和十四年），特別應該注意的是《支那史研究》一書，收錄很多東洋史研究的論文。但是，作為他的代表著作，無論如何，屈指仍數《東洋史統》四冊。

　　因為市村本來是從漢學、儒學出身，從早期就有這方面的社會活動。鳩集林泰輔、小中村義象、關根正直等東京大學古典科的同期畢業生，設立東洋學會，反對偏重洋學的風潮，期盼東洋文物的研究，而創刊《東洋學會雜誌》（明治二十年），明治二十二年，和落合直丈、井上通泰發起新聲社，發刊《しがらみ草紙》，進行文學活動。明治四十一年，和矢野恒太創立孔子教會，舉辦《論語》的課程。明治四十二年發起東亞學術研究會，四十三年發起漢文學會等的活動。大正七年成立斯文會，任理事兼研究部長，可看出舉行很多的社會活動。但是，市村對東洋學的貢獻，第一應該舉出來的是《東洋史統》的著述和用教育來培育門下學生兩點。

主要著書・評傳

1　《東洋史要（上、下）》（附圖上、下）　吉川書店　一九八七年；
　　一九一二年改版，一九二四年增訂版

2　《支那論集》　富山房　一九一六年

3　《文教論集》　大倉書店　一九一七年

4　《支那史研究》　春秋社　一九三九年

5　《東洋史統》四卷　富山房　一九三九年、一九四〇年、一九四
　　三年、一九五〇年

6　〈故市村顧問追悼文〉　和田清　《史學雜誌》第五十七卷第四
　　期　一九四八年四月

7　〈支那史研究、東洋史統的書評〉　市古宙三　《史學雜誌》第
　　五十卷第十二期、五十一卷二期、五十二卷第四期、六十卷一期

四

白鳥庫吉

（1865-1942）

日本大學教授　松村　潤

很少被提到的白鳥

我國（日本）東洋史學的創始者，雖然說是白鳥庫吉，但關於他，實在很少被提到。偶爾，在《文藝春秋》的二月號，刊登著題為「發掘昭和天皇學習特製『國史』教科書──不用《皇紀》的白鳥庫吉博士編『國史』」的記事，這是作為昭和天皇御學問所御用事務課所觸及的白鳥的一面。但是，我想對大部分讀者來說，白鳥的名字恐怕是第一次聽到。

和白鳥有很多可相對比的內藤湖南，有為數很多的論評，但是論到白鳥庫吉的，應該說只有五井直弘的《近代日本と東洋史學》[1]。五井回顧戰後三十年，深感東洋史學和馬克斯主義的緣份太薄，為了解明那個，把《白鳥庫吉全集》[2]一冊接一冊地讀。那並不是要在白鳥的研究中看出馬克斯主義的影響，東洋史學不接受馬克斯主義的話，在東洋史學中有不接受那種東西的因素嗎？如果有的話，東洋史學創始者白鳥庫吉的學問中，那樣的因素所以形成，不論明的或暗的，是不是那種學風的繼承？五井這麼想。

依照五井的說法，白鳥是熱烈的天皇主義者。但是，那件事情

---

[1] 五井直弘：《近代日本と東洋史學》（東京都：青木書店，1976 年）。
[2] 全十卷，岩波書店。

本身，在明治以後的日本並不是那麼異常的事。因《記》、《紀》批
判，違反出版法而被訊問的津田左右吉也同樣是天皇主義者。白鳥把
教育敕語作為他的學問研究、教育的指針，在學問之中把它實踐鋪
陳。那也不僅限於白鳥，井上哲次郎、穗積八束、上杉慎吉的學問也
是一樣。這才是帝國大學「應做的學問」，是大日本帝國的學問。

發揚國威的「應做的學問」

　　帝國大學的學問，首先把它的目標放在國際性的水準，學問是
發揚國威的一個手段。因此，國民在那視野中是不存在的，可說是國
民不在的學問的成立。白鳥的史學所謂的「應做的學問」就是如此。
五井想在白鳥活躍的時代中，抓住白鳥的歷史學。例如：邪馬臺國問
題，白鳥的確是九州說的主倡者，他的基本論據是大和朝廷自遠古以
來即在大和存在，因此，邪馬臺國不應該在大和這個論點出發。白鳥
的學問和忠君愛國很難分開而結合成一體。白鳥的史學與進入象牙塔
不同。而且，晚年還見到他的猶豫，那就是其中宗教和合理主義的分
裂。五井作了推測。

　　但是，繼承白鳥史學的衣缽，東京大學的東洋史學，那跟政治
可說完全沒有關係。旗田巍在〈日本東洋史學的傳統〉[3]中，把那說
是人間不在的歷史學。總之，從白鳥史學拔除它的政治性，標榜客觀
主義、純粹主義。另外，松本善海〈中國社會史的新課題〉[4]中，說
到「在我國（日本）說是東洋史學——即是別稱漢學——甚至於是來
路不明的學問」，又說到「東洋史，特別要重視塞外的研究，有能力
的研究者集中於這方面的努力，為了要回答東西文化交流的重要課題

---

[3]　〈日本東洋史學的傳統〉，《歷史學研究》第 270 號（1962 年）。
[4]　〈中國社會史的新課題〉，《史學雜誌》第 58 卷 3 期（1949 年）。

的事是不用懷疑的。在這裡，中國方面的史料和西方方面的史料是存在的，因其間有各種的出入，在解決這兩者對決的過程，的確有推理小說的趣味。而且，技術的好壞，是很清楚可見到，這一點吸引了對自己有信心的人的結果吧！相同的事情可以說滿州等邊境地帶的研究，所以東洋史太過於以中國為中心，是不知情的人的說法。那些以中國的史料為中心的，應該被訂正。」

中學時代的校長那珂通世

白鳥庫吉市慶應元年（1865），生於上總長柄郡長谷村，現在千葉縣茂原市農家的次男。戶籍上作倉吉，這個記載，依石田幹之助的〈白鳥庫吉小傳〉[5]，倉吉是戶籍吏的誤記，他本人終生叫庫吉而沒有改。

有關少年時代，依津田左右吉的〈白鳥博士小傳〉[6]，依學制，在長谷村小學校開設不久的明治六年八月入學，十一年七月十四歲畢業。但白鳥的竹馬之友，也是終生好友的木內重四郎的追悼文〈憶亡友木內君〉[7]中，白鳥在十四歲的春天，離開長谷村，轉到千葉町南邊曾我町的小學校，在那裡認識木內。那年，千葉町第一次設中學校，木內馬上入學成為第一期生。白鳥接著翌年入千葉中學，同時入學的是大和久菊次郎，即後來的外務大臣石井，在石井‧藍辛協約很有名的石井菊次郎。木內成了三菱岩崎彌太郎的女婿、京都府知事。三人的交往一生沒有變。

千葉中學的校長是東洋史學的開創者，研究蒙古史，將蒙文《元朝祕史》翻譯，稱為《成吉思汗實錄》而有名的那珂通世。明治十一

5　〈白鳥庫吉小傳〉，《石田幹之助著作集四》（東京都：六興出版，1986 年）。
6　〈白鳥博士小傳〉，《東洋學報》卷 29 第 3、4 期（1944 年）。
7　〈憶亡友木內君〉，《白鳥庫吉全集》第 10 卷。

年就任千葉師範學校的校長,也兼任千葉中學的校長。那珂是一八五
一年生,當時二十八歲。還有既是教師,也是歷史學者、考古學者而
活躍的三宅米吉也在,他還不到二十歲。同樣慶應義塾出身,白鳥專
攻東洋史學是有什麼樣的機緣?

　　明治十五年千葉中學第一名畢業,翌年入學大學預備門(後來的
第一高等學校),和木內重四郎、石井菊次郎一起,寄居在當時任職
於東京高等師範學校的三宅米吉家。明治二十年,帝國大學文科大學
聘請德國人利斯開設史學科,白鳥以第一屆學生入學。說是史學是指
西洋史,不講日本史和東洋史。實際上,比這早的明治十年,東京大
學設立,設法學、理學、文學、醫學四個學部。在文學部第一科設史
學、哲學、政治學科,第二科設和漢文學科,史學科請不到教授,學
生也寥寥可數,二年後廢止。

　　白鳥回想當時,提到在大學預備門時,讀瑞東和費瑟的《荣國
史》、巴克魯和基梭的《文明史》,那主要是在研讀英語。自從進入
史學科,教師祇有利斯,三年間只修到法國革命[8]。還有,加開國史
是明治二十一年的事,開設國史學科是在那年的翌年。

　　因此,白鳥著手東洋史學是在史學科畢業後,擔任學習院教授
的事。在學習院,雖然歷史的教授科目佔有更重要的地位,但白鳥自
己說到,當時人格修養應該根據歷史的講授的主張是很盛行的,還有
歷史科和漢文科是兼今日的倫理和修身科。在這點,五井說到,作為
西洋思想的史學研究法,和作為修身科的歷史學,在白鳥心中共存,
那和蘭克史學並沒有矛盾。

---

[8]　〈學習院史學科的沿革〉,《學習院輔仁會雜誌》第 134 號。

先由近及遠

　　學習院高等科，從當時起有東洋諸國史的科目，市村瓚次郎在另一邊講支那史，白鳥講東洋諸外國的歷史。但是，當時要簡明理解東洋諸國歷史的手段並沒有。首先說到由近及遠，從朝鮮、滿州的根本研究開始，其次及於蒙古、西域，而後，從〈檀君考〉[9]開始，陸續發表〈朝鮮古代王號考〉[10]、〈朝鮮古代官名考〉[11]、〈日本書紀中所見韓語的解釋〉[12]等十篇有關朝鮮古代史的論文。接著是〈匈奴是屬於什麼樣的種族？〉[13]、〈突厥闕特勤碑銘考〉[14]、〈契丹女真西夏文字考〉[15]、〈支那北部古民族的種類〉[16]等，擴大到處於蒙古、滿州各民族的歷史的研究。

　　明治三十四年春，白鳥到歐洲留學，停留在德國、法國、匈牙利。特別在匈牙利受到歡迎，〈烏孫考〉和〈朝鮮古代王號考〉的德文翻譯，刊於東洋學雜誌《ケレテイ・セムレ》，又〈關於匈奴和東胡民族的語言〉，被譯成匈牙利語，刊於民族誌學。而後，視察芬蘭、俄羅斯，明治三十六年經由西伯利亞回國。

　　回國的翌年，兼任東京帝國大學教授，大正十年改為專任。以後至大正十四年退官的二十一年間，以東京帝國大學為中心而從事活動。作兼任教授的明治三十七年，改國史學科和史學科為國史學、東洋史學、西洋史學三科。和市村瓚次郎一起擔任東洋史學科的課程，

9　〈檀君考〉，《學習院輔仁會雜誌》第 28 期（1895 年）。

10　〈朝鮮古代王號考〉，《史學雜誌》7 卷 2 期（1896 年）。

11　〈朝鮮古代官名考〉，《史學雜誌》7 卷 4 期（1896 年）。

12　〈日本書紀中所見韓語的解釋〉，《史學雜誌》8 卷 4、6、7 期（1897 年）。

13　〈匈奴是屬於什麼樣的種族？〉，《史學雜誌》8 卷 8 期（1897 年）。

14　〈突厥闕特勤碑銘考〉，《史學雜誌》8 卷 11 期（1897 年）。

15　〈契丹女真西夏文字考〉，《史學雜誌》9 卷 11、12 期（1897 年）。

16　〈支那北部古民族的種類〉，《史學雜誌》11 卷 4 期（1900 年）。

以歐洲學者的研究為基礎，去追究他們在處理中國史料不太完美的地方和誤解，那就是以後白鳥所要研究的。而後，進入以塞外和西域的研究為中心的研究。這些作為通論而發表的是〈支那北部古民族的種類〉[17]，從月氏、匈奴、東胡開始，鮮卑、烏丸、蠕蠕、契丹、高車、回鶻、點戞斯、勿吉、室韋、女真、濊貊等二十多個民族，有關歐洲學者的簡單介紹，並加以批判。還有，〈塞外民族〉[18]是白鳥研究的簡要結論。有關西域史的概說沒有發表，但有作為論文集的《西域史研究》[19]。這是從居於甘肅省西端而向西方大夏移動的大月氏開始，兼及烏孫，接著經大宛、康居、粟特、罽賓，至大秦、找秫。其間，以西亞細亞，特別是美索不達米亞為中心的地域情勢，以中國史料是怎麼記載的，來加以研究。

把日本的東洋學推向西歐水準

白鳥的心願是，如何把日本的東洋學提高到歐洲的東洋學的水平，再超越它。他在〈後藤伯學問上的功績〉（1929）中說到，「西洋的事跟西洋人學，是沒有什麼奇怪的；東洋的事跟西洋人學，是很遺憾的事。」津田左右吉在〈白鳥博士小傳〉中也說：「當時恰好是三十七歲，八年戰爭之際，作為東洋學指導者的我國（日本）的威力，為了向世界呈現現實狀況，且在學問上，非早日和歐洲的學問並肩不可。根據博士以前的意見更加強化；而且，在東洋的研究，指導在新學問研究上仍是幼稚的中國學界。同時，他認為對世界的東洋學研究有貢獻的事，非做不可。」

還有，白鳥在〈滿鮮史研究三十年〉（1934）中，說到：「和我

---

[17] 〈支那北部古民族的種類〉，《史學雜誌》11 卷 4 期（1900 年）。
[18] 〈塞外民族〉，《東洋思潮》（1935 年）。
[19] 《西域史研究》，（東京都：岩波書店，（上），1941 年；（下），1944 年）。

同樣是東洋人的日本人，為了不輸給歐美學者的研究，組織大的東洋歷史研究學會，學者、實業家、政治家等相提攜，努力提倡根本性的東洋研究。」又說：「尤其，成於當時歐美人之手的東洋方面的研究，多半是支那、蒙古、中央亞細亞的研究，其中存有某些權威是事實，但在滿州和朝鮮的研究還沒有著手。就是說，這方面的研究尚保持開拓的狀態，我在這方面注意的結果，歐美人不可能完成滿州、朝鮮的歷史地理的研究，非由我們日本人之手來完成不可。」一九○四年，關心亞細亞的學者七、八十名，聚集在東大山上御殿，組織亞細亞學會，一九○七年，把它和東洋協會合併。協會內設調查部，一九○九年刊行《東洋協會調查部學術報告》第一冊，這是《東洋學報》的前身。還有，說服滿鐵總裁後藤新平，在南滿州鐵道株式會社東京支社內，設滿鮮歷史地理調查室，從一九○八年開始研究。它的成果是《滿州歷史地理》、《朝鮮歷史地理》各二冊，以及《滿鮮地理歷史研究報告》十數冊。

　　一九一七年，三菱的岩崎久彌投下巨資購入中華民國大總統顧問、前《倫敦時報》北京特派員莫里遜，三十餘年苦心蒐集的中國關係洋書一大批，帶回日本。以這莫里遜文庫為基礎，一九二四年創設財團法人東洋文庫，白鳥以理事的身分同時擔任營運工作，附設研究部自任部長，不分官學私學之別的研究業績以東洋文庫論叢刊行。還有，編集《歐文紀要》，把我國（日本）的研究向海外介紹。東京大學退休後，可以說傾全力於東洋文庫的事業。

主要著書・評傳介紹

1　《白鳥庫吉全集》　岩波書店　一九七一年

2　《西域史研究》（上、下）　岩波書店　一九四一、一九四四年

3　《音譯蒙古元朝秘史》　東洋文庫　一九四三年

4　《日本語の系統——特に數詞に就いて》　岩波書店　一九五○年

5　《神代史研究》　岩波書店　一九五四年

6　〈白鳥博士小傳〉　津田左右吉　《東洋學報》第二十九卷三、四號　一九四四年

7　〈白鳥庫吉先生小傳〉　石田幹之助　《石田幹之助著作集》（四）六興出版　一九八六年

五

內藤湖南

（1866-1934）

朝日新聞編集委員　溝上　瑛

強調日本是中國文明圈的一員

　　從小學教員經雜誌、新聞記者，成了京大教授的湖南・內藤虎次郎，在東洋學留下了巨大的足跡。從十九世紀末到二十世紀，他確實看準了動盪中國的走向，顯示了作為時論家透澈的觀察力。對他來說，很清楚地，日本是中國文明圈的一份子，日本人參加企畫中國的近代化，參與是很自然的事。這樣的見解，是為日本帝國主義對中國的侵略尋找正當理由，也招來了批判。他的本意是不要用西洋的尺來測量東洋，東洋本身在內進步的要素，日中要協力強化，應讓他發展的意思。和擁戴萬世一系的天皇，呼他為亞細亞「盟主」的那樣的潮流，根本不一樣。一九三四年（昭和九年）他如果沒去世的話，在軍部獨裁體制之下，被迫和美濃部達吉和津田左右去採取同樣的立場也說不定。

　　去年一九八九年 J. A. 福格著，井上裕正譯《內藤湖南——政治與漢學》，由平凡社出版。著者是一九五〇年生於紐約。經芝加哥大學，到京都大學留學，一九八〇年，以和本書同名的學位論文從哥倫比亞大學接受博士學位，一九八九年秋起，擔任加利福尼亞大學聖巴巴拉分校教授。原著是內藤湖南過世五十年的一九八四年，由著者擔任助教授的哈佛大學出版會刊行。譯者井上氏生於一九四八年。在京

都大學大學院時，和來日留學的著者相認識。現任奈良女子大學助教授。譯者在後記中說：「這是用英語書寫，有關湖南研究的第一本書。但是，也許不用說『用英文寫』。如果是如此，我們日本人不能毫無顧忌的高興，倒不如應該接受這個事實吧！」

　　到現在，湖南的傳記有劇作家青江舜二郎所寫的《龍的星座──內藤湖南的亞細亞性的生涯》、立命館大學教授三田村泰助的中公新書《內藤湖南》，作為研究書一橋大學教授增淵龍夫的《關於歷史家同時代的考察》等。其他，很多的論文和回想記也在學會誌等發表。但是，綜合這些著作，明確去描述湖南的全體像的綜合性研究的著作，還尚未見到。譯者井上氏的後記指出了這樣的狀況。

和君主獨裁宿命論的對決

　　湖南的東洋學的指向很明顯地由個別研究到總合研究，這點，福格氏的著作中有如下的說法：「他出人意料地，努力於很大的題目。對他來說，《支那論》是構築中國歷史和社會全體像最初的嘗試。他這樣做研究的主要動機是，把同時代的中國作正確的理解，弄清楚中國必要的改革是什麼？」

　　這裡說到的《支那論》是，內藤湖南於辛亥革命的翌年開始構想，第三年的一九一四年（大正三年）出版的著作。他想整理這些的時候，由孫文革命而成立的中華民國，由於袁世凱的政變，進入皇帝制復活的反動期。為了這個，中央集權的君主獨裁制是否為中國的宿命？這種的停滯論，是國際性廣泛的、現實的動態也朝這方向加速度的進行著。對於這個，湖南注意到中國社會內在的地域性和分權的要素，那是因宋代以後近世社會的暗流重複發展的結果，最後君主制結束他的使命，共和制所適合的時代來臨。一時的反動雖吸引人的注意，但不可看錯大局。

　　袁世凱在兩年後就帝位，正好在急速高漲的反帝倒袁運動中病死。在以後的中國，類似君主獨裁的現象是有的，君主制並沒有再復活。事實上，我們看日本殖民地的中國東北部（舊滿州國）是唯一的例外。那帝政在十餘年間崩壞。這意味著，七六年前的湖南，有關中國進路的預料是正確的。

　　湖南為何能確定中國的共和制是必然的呢？君主制是適合東洋社會的，當然是永續的，因這樣的思想是自由的。形成那理論基礎的是把宋代以來看作近世的時代區分論。他認為一直到中世的唐代是貴族主導型的社會，但從宋代起約一千年，政治、行政、文化的指導者，因更廣泛層面的現實傾向越來越強，大概走向平民主義的方向。因此，含糊地把古代作為理想主義的那種復古思潮始終是無緣的。

　　福格氏給《支那論》很高的評價，他在書中寫著：「二十世紀出版與中國的歷史和文化有關的著書中，恐怕說它是給後世最大影響的也不是誇大之言。很多的研究者從本書得到啟發，承受了其中所提示的見解。還有，那當中的見解在後來的學問上也引起很大的論爭。」但是，他繼續寫著：「今日的歐美學界，本書中，內藤湖南所提出有關中國社會和文化的多數嶄新的精闢見解是常常被舉出來的。但是，那往往並不知《支那論》的存在。」又說：「在一九二〇至一九三〇年代，支配中國學界的馬克斯主義和抗日氣運之下，中國的歷史家沒有道理給湖南的歷史觀很好的評價。那意味著我的評價對中國歷史學界來說，說不定也是不妥當的。但是，狀況確實漸漸在改變。」

　　這樣的話，在中國沒有評價，在歐美也不太有人知道，這不是和前段所說的高評價相矛盾？著者自己解釋說：「湖南日本語所擁有的影響力，在非馬克斯主義的諸國學界有很高的評價，在那以外的各國學界，是漸漸感覺到它的存在，是在開始注意的階段。」在日本，對繼承內藤湖南宋代以後是近世說的京都學派，東大系的馬克斯主義學派（即歷研派）提出宋以後是中世說，長年重複論爭，但國際的潮

流在論到此事時,是京都學派較佔優勢。

最像章炳麟

福格氏並非毫無保留地讚賞湖南的《支那論》。湖南曾說過:「如果因地方軍閥割據而混亂不可收拾的話,寧可由列強共同統治以保障支那人民的幸福。」中國研究所的野原四郎批評說:「這是傳授給日本軍國主義支配中國的秘訣」,並直接、間接地表明心中的疑問。又此後的湖南加強發言,認為日本應對中國的近代文化盡積極的任務,在肯定「滿州國」建國的問題點也加以指名。但是,福格也注意到,湖南承認舊滿州國變成帝制,及肯定其建國的錯誤。畢竟,湖南對同時代的中國動向所呈現最靈敏的是一九一四年,以後變動的速度,即使連湖南的博識也無法對應,也許可以這樣說吧!

和湖南的走向極為相似的是小他兩歲的中國思想家章炳麟。湖南本身對章炳麟的思想和主張確實有很強的意識,關於這個,前面提到增淵的研究書有提到。一九一一年(明治四十四年)夏天,湖南在廣島演講中國學界的近況,章炳麟對讚美日本學者的甲骨文字研究的考證學者作批判,而介紹其在學術雜誌所寫的〈與羅振玉書〉。炳麟在這篇文章中,舉日本漢學的淺薄作為具體的例子而加以批評,對於迎合日本逐漸加強國力而說的恭維話,是作為中國一流學者的見識不足,而責備羅振玉。關於這點,湖南說,日本漢學比起清朝很進步的中國考證學要淺短七、八十年,估計長一點的話,要慢百年以上,章氏的批判也是理所當然。

章炳麟起初接近清朝末期體制內改革派,被反動派壓迫來到臺灣,幾乎半年時間為總督府直系的《臺灣日日新報》撰稿。《臺灣日日新報》是由《臺灣新報》和《臺灣日報》剛合併而成,在合併之前《臺灣日報》的主筆是內藤湖南。湖南回東京擔任《萬朝報》的論說

記者是一八九八年（明治三十一年）四月。章炳麟入《臺灣日日新報》
是同年十二月，推想兩人並沒有見過面。

　　但是，在日報和湖南一起工作的人幾乎被《日日新報》接替，管
理編集局的和文部主任是湖南從東京《朝日新聞》挖角而來有才幹的
記者櫥內（後來改姓後醒院）正六。漢文部主任新到任的籾山衣州也
在同一時候，和櫥內在東京《朝日新聞》任職。此時，內湖在大阪
《朝日新聞》，一起寫評論的同事西村天囚和籾山衣州有很親密的關
係。那衣州和章炳麟比作詩，傾注共感，交換批評。兩人的作品和批
評，比較文學者島田謹二氏的大著《日本的外國文學》有收錄。這樣
反覆來看，湖南和炳麟從早沒有意識到相互存在，是很難想像的。

　　後來的湖南和《萬朝報》的同事辛德秋水有很親密的交往，再進
入大阪《朝日新聞》，展開對俄主戰論，和提倡非戰論，發行《平民
新聞》的秋水對立。雙方都懂漢學、學習西洋近代思想，簡單的說，
秋水有至於西洋的社會主義，湖南有至於東洋的民族主義。

　　炳麟經日本留學回國，組織排滿興漢的教育團體愛國學社，和
以革命為目標的祕密結社光復會。以革命團體的大同團結，發起中國
革命同盟會，以作為該會機關刊物《民報》的編輯主任而活躍，和孫
文對立辭職後，對袁世凱的獨裁作堅決的批評。但是，主張打倒封建
文化的文學革命的高揚期一來臨，強化中國傳統的主張，被認為是舊
勢力。

　　湖南、炳麟都沒有見到馬克斯主義成為西洋文明的一派，應該
重視沒有輸入的東洋本身進步。俄國革命以後，馬克斯主義的影響力
增強，兩人都成了趕不上潮流的人。但是，當今的世界再度迎向民族
主義的時代，重新評估他們的學問，說不定是當然的動向。

尊王反成國賊的轉折

　　湖南是一八六六年（慶應二年）生於十和田湖南方的羽後國鹿角郡毛馬內（現秋田縣鹿角市）。毛馬內是盛岡藩支藩的所在地。生家代代是支藩的儒者。命名為虎次郎是因為父親崇拜松陰。吉田寅次郎的尊王思想。但是，盛岡藩在二年後的戊辰戰爭中加入奧羽越列藩同盟的佐幕統一戰線，被官軍打敗，而以國賊處理。而且，因廢藩置縣，大部分的舊藩領地成了岩手縣，而鹿角郡被分出編入秋田縣。內藤家失去武士的身分而歸農，父親在小學校和鑛山事務所工作。對舊盛岡藩中毛馬內的勤王派來說，是特別受委屈的時代。這時期，在此地長大的湖南的思想和歷史觀，不可能沒有關係。

　　從小接觸賴山陽的著作和中國的古典，長於文章技巧。二十歲，秋田師範高等師範科畢業，當小學教員。沒有歷史教科書，僅賴《史記》和《漢書》來授業。在村子的神社和寺，借平田篤胤的國學書和佛典來讀，也喜歡盧梭的《民約論》。二十二歲時，攜帶著從在學中即欣賞湖南文章能力的師範校長的介紹書上京，當了佛教雜誌《明教信誌》的記者。該雜誌的負責人大內青巒是仙臺藩出身，明治初西本願寺法主的侍講，大正初年擔任東洋大學校長的佛教指導者。教湖南究明佛典的虛構的大阪町人學者富永仲基的著作。此時，湖南學問的原型可說是已完成。

　　向來大部分論到湖南的，說他離開大內青巒，去當開明的民族主義者三宅雪嶺的政教社雜誌《日本人》的記者，對此後歷史觀的形成有決定性的意義。因此，福格氏的湖南研究要查明的事情是，當時雪嶺的代表作《真善美日本人》、《偽惡醜日本人》，和這之前湖南發表的論說相對比，兩者頗為相似。雪嶺兩部書的開頭曾這樣說：「口授給湖南，讓他筆記。」不僅如此，實質上是湖南的作品可說是很明

顯的。關於這點，福格氏解釋說，湖南的思想不是碰到雪嶺才形成，
在那之前已獨自形成，它的內容和雪嶺的立場幾乎一致的看法是恰當
的。

　　湖南之下以神田喜一郎、貝塚茂樹為首的優秀學者輩出。但
是，讓湖南的學問體系擴充、整備的就是東洋史講座的同事桑原隲藏
（武夫之父）的直系宮崎市定氏。還有，自負是中國文明的一份子，
最確實繼承這種風格的是，並非東洋史學中人的中國文學者吉川幸次
郎。吉川說「我國」時，那是指中國說的。東洋學的京都學派，和束
縛師弟關係的行會，取向看起來有點不同。

　　這之外，批判性的繼承湖南的《支那論》，而著有《現代支那
論》，在佐爾格間諜事件被處刑的尾崎秀實，也可以說是「昭和的湖
南」的記者。經《朝日新聞》特派員，在東京本社在職中的一九三六
年（昭和九年），很快看透西安事件的真相，而預測國共合作會成立
抗日統一戰線。他出生後不久，因父親從東京的《報知新聞》轉到
《臺灣日日新報》，在臺北郊外籽山衣州的舊居長大。那個家是當時
總督兒玉源太郎的別墅。

主要著書・評傳

1　《內藤湖南全集》（十四卷）　筑摩書房　一九六九～一九七六年
2　《龍の星座——內藤湖南のアヅア的生涯》　青江舜二郎著　朝日新聞社　一九六六年（後來中公文庫版　一九八〇年）
3　《內藤湖南》　三田村泰助著　中公新書　一九七二年
4　《內藤湖南——ポリティックスとツノロヅ》　J. A. フォーグル著，井上裕正譯　平凡社　一九八九年

六
高楠順次郎
（1866-1945）

筑紫短期大學校長　雲藤義道

一

　　高楠順次郎是慶應二年（1866）廣島縣御調郡入幡村的有錢人家，是澤井家的長男，幼名梅太郎。說到慶應二年是德川慶喜奉還將軍職大政的前一年。二年後，明治天皇即位。這是明治維新的前夜。明治八年，十歲時，入學村中的小學校。我想，那很可能是明治五年制定新學制時最初的小學校。可以說是作為明治之子生下來的。

　　明治十二年（1879）十四歲時小學畢業，入三原的櫻南社進修漢學，表現很優秀，翌年十五歲，擔任小學教師。但和友人花井卓藏一起，創立政治研究團體「龍山會」。花井是自由黨，自稱為立憲政黨員。

　　當時是言論和民權的主張好不容易昂揚的時代，那思潮也波及廣島的農村，也抓住青春多感的青年澤井梅太郎的心。這樣，從少年時代所賜予非凡的統率的素質，十六歲時，因大木箕山、沖加都麿等的邀請，創立國學研究團體「起風館」，接著十六歲時，創立「佛教會」。對排擊佛教的言論，開辦反駁的佛教講演會，展開青年時期非常多彩的運動。如要說他是屬於那一邊的話，像是政治家志向型的青年。

　　原來，澤井家因有安芸門徒的背景，是代代熱心淨土真宗的信

徒。澤井梅太郎從幼時也在這樣的家風中長大，自然培養成對真宗的信仰。正好從明治十八年四月，京都西本願寺改變一貫的真宗學專門教育制度，開設普通教校（現在的龍谷大學）。澤井這青年也上京洛之地進入這個普通教校。這是壺中之魚放進了大海。

二

負笈上京的澤井洵（這時將幼名梅太郎改名為洵）逐漸習慣於教校的學生生活，從幼時在鄉里培養的統率之才，發揮了社會啟蒙家的素質。普通教校是以施行普通一般的高等教育為目的的學校，但奔放的血氣，謳歌青春的學生生活，作為本願寺的學校很難說是嚴正的。對於這一情勢，有志的教授、學生，企圖發起風紀肅正的運動。這是稱為「反省會」的學生運動。當時是明治二十年（1887），澤井二十二歲。

反省會一旦揚起旗幟，那運動急速的擴大，為了禁酒、督促反省，創刊機關誌《反省會雜誌》，往後十年間，小林洵（澤井洵的筆名）擔任主筆，從頭到尾雜誌裡一直很熱鬧。

反省會最初是作為教校內的學生啟蒙運動興起的，但透過《反省會雜誌》，發展禁酒道德的社會啟蒙運動，當時，和在同志社德富蘇峰的「國民の友」社的運動形成對立。最盛的時候，全國會員數，數一數有三萬人，是一股隱然的勢力。明治二十六年將雜誌改名為《反省雜誌》，又在明治三十二年（1899）改稱《中央公論》，一直到現在。

還有，不要忘記的事情是，明治二十年日野義淵等企圖創立「歐美佛教通信社」，努力介紹海外佛教事情，同時興辦海外宣教會，發行英文雜誌 Bijou of Asia（亞細亞寶珠）。這雜誌發展成後來的 Young East。

　　這樣，以明治二十年代的佛教作為中心的社會啟蒙運動的進展，雖不是澤井洵一人之力，但以他為中心人物的事實是錯不了的。對於剛過二十歲的青年，能發揮這樣程度的領導能力，大概不是平凡的人才。

三

　　對這人才，讓他在國際舞臺登場的機會來了。澤井洵二十二歲時，入高楠家為婿，那是如下所說的事。

　　神戶有高楠孫三郎的實業家，遠祖是繼承家門的楠正成的後裔，有一女兒霜子，神戶英和女學校畢業，崇拜基督教，差點要接受洗禮。想找一位能夠指導這頑皮女兒的女婿，老早以前利井明朗（校主）親自和日野義淵相談的結果，選中了澤井洵，但是，他是澤井家的長男，交涉一直難以進展，結果由高楠家負擔留學費用，這個姻緣總算圓滿地成立。

　　澤井洵改名為高楠順次郎，洵是順，幼名梅太郎，但適合養子的名字是次郎。就這樣，高楠順次郎把青雲之志伸向泰西的遠空，親身體會吸收歐洲的文明。

　　明治二十二年（1889）六月，在西本願寺的普通教校，以優秀的成績畢業的高楠順次郎，翌年三月乘著由神戶出航的法國船「我想號」，踏上留學之途。同年九月，入牛津大學，接受 Max Müller（1823-1900）的指導。在這裡，決定高楠順次郎一生的一個大轉機在等著他。

　　高楠順次郎到英國時，拿著南條文雄給 Max 的介紹狀。南條文雄是接受 Max 指導最早的日本人弟子，歸國時，曾說過要介紹優秀的青年來留學。把拿著南條介紹狀的高楠順次郎認定為南條的後繼者，Max 馬上接見，很尖刻的問：「你作學問是為了興趣，或為了賺

錢？」高楠答說，不是為了賺錢，而是為了前者。「那樣的話，要學
印度學，印度學是了不起的學問，要研究那個，首先要學梵語和巴利
語。」說到對前途不可限量的印度學的熱愛。因此，再度拜訪時，準
備了初步的書籍。第三次拜訪時，直接的指導老師 Winternitz（1863-
1937），據說已在等待。

　　高楠順次郎內心本有志於政治、經濟的學問，在這條路上好像
要當世人的指導者，但他始終沒把內心的事吐露出來，在 Max Müller
的指導下，專心於印度學的鑽研。

四

　　和 Max Müller 相會，大大地改變了高楠順次郎的一生的方向。
從少年時代的性向來看，恐怕被認為是在政界、財界大展雄才的人
物。但是，那樣的轉變，為了他自己，為了日本，而且對日本的佛教
來說，應該是極為高興的事。

　　從他師事 Max Müller 的事，不但學得新興的印度學的真正價
值，而且也接觸到近代歐洲文明的真髓。

　　明治二十七年（1894），他二十九歲，牛津大學畢業後，翌年轉
柏林大學，跟 Gearg Huth （1867-1906）修習西藏、蒙古和阿爾泰
語，研究它的文明史。接著在基爾大學、向Hermann Oldenberg
（1854-1920）和 Paul Deussen（1845-1919）學習吠陀文學、優波泥沙
陀哲學等。翌年入萊比錫大學，修習印歐的博言學[1]、哲學史。又經
College de France，和 Sylvain Lévi（1863-1935）等有深交後，再回到
牛津大學，得到藝術碩士學位。明治三十年一月，三十二歲的高楠順
次郎，學得滿身的新知識歸國了。

---

[1]　譯者按：這是語言學和文獻學的舊稱。

　歸國那年的六月，就任東京帝國大學文科大學的講師，明治三十二年（1899）十月成為教授，翌年接受文學博士學位，因為是私學出身的人，不一定被優待。他在歐洲留學期間，事實上，不但想要吸收新知識，而且完成《觀無量壽經》的英譯、和夭折的笠原研壽的遺業《南海寄歸內法傳》的翻譯、註解。那些業績，歐洲學界有很高的評價，但是在當時的東京大學一直未得到正當的評價。

　高楠順次郎不僅是語言學者，也看出他是學界足以託付將來的人物的是上田萬年（1867-1937）。因上田博士的協調，就任博言學的主講教授，從明治三十四年四月開設梵語講座，成了第一任的主講教授。一直到昭和二年（1927）定年退休的二十七年間，以這門學問為中心，把日本的印度學、佛教學發展到世界的水準，高楠扮演了主導的任務。然後，以東大為據點，為了日本印度學、佛教學的興盛，培養許多門弟子的功績，是無法算計的。今日這個學界，直接或間接，不受他影響的人可說沒有。這話並非過分之言。

　高楠順次郎對我國（日本）學術的貢獻，並不是這篇小論文所能說盡，從大正二年（1913）的十年間，得到啟明會的援助，所實施的各寺廟的古書調查事業，對於有悠久歷史的寺院書庫所藏的貴重古文書，充實近代學問的光彩，有很大的學術意義。

　讓他成為文化勳章受賞對象的是《優婆泥沙陀全集》、《大正新脩大藏經》一百卷的編纂發刊，接著是《口譯南傳大藏經》的刊行，全部是畢生的大事業。如果沒有佛教界的泰斗高楠順次郎動員那麼多的學者，必要的大量資金，要成就這大事業是不可能的。

五

　關於高楠順次郎的著書、論文，好像汗牛充棟，有不尋常的量，但幸好主要的著作已作為《高楠順次郎全集》（全九卷，東京教

育新潮社刊）發刊，去看全集就可以了。關於最晚年的論著《新文化原理としての佛教》想談一下[2]。

他在序文中提到：「新文化的創造，並不是把全新的文化從現在起往上建築那種意義的創造。並不是作成新文化的構成分，在既存文化的成分中或取或捨，安排融合那些，有計畫地保持它們的平衡，讓它發揮全構成要素的機能。」以東西思想的合流、統一的「窮極世界」作為主要目標。到達那世界之路，他說有「應理性思想」和「現觀性思想」。應理性思想源於西方的科學，是西洋之流的哲學。現觀性思想是廣泛流行於東洋的學問，是教學。能具備這雙方的，應是指導未來世界的原動力。具備這雙方要素的可說是佛教。

高楠在昭和十七年九月二十七日，東北帝國大學的畢業典禮作了題為「東西思想的合流」的演講。他將古代希臘以來的「物質的自然觀」和「生物的自然觀」作對比，認為西洋是以物質的自然觀作為思想中心，其次是基於論理、數理的「應理性對立觀」成為文化創造的主動力。相對於那個，東洋是基於生物的自然觀，作為思想的中心，基於體驗，內觀的「現觀性——體觀」作為文化創造的主動力。

他作結論說：「日本所要的目標是現觀性和應理性兩面，西洋所企圖的也同樣是得到兩方面。東西思想的合流在此得以實現。有豐富現觀性寶藏的我們，在精神上對西方擁有滋潤力，有自由應理性泉流的西洋，以科學的強力性面對我們，作為他山之石，激勵著我們。總之，這兩方面是世界文化創造的二大原動力，是無可爭論的事。如偏於一方的話，以至於破壞自己文化的事情是免不了的，」（前引《全集》第六卷所收）。

---

[2]　因為是死後才印刷，的確是高楠的遺著。前文《高楠順次郎全集》第 3 卷收錄。

六

最後，不得不提到的是，關於高楠順次郎的佛教主義女子教育的理想。昭和二年（1917），東京帝國大學定年退職的同時，就任武藏野女子學院的學院長。在這之前，大正十二年（1923）關東大地震後，發表佛教主義女子大學創設的計畫，首先在築地本願寺內震災救護院原址，創立武藏野女子學院。

發願創立佛教主義女子大學，在明治四十二年執筆的〈國民と宗教〉，同明治四十四年的〈國民道德的根底〉、大正五年的〈佛教國民の理想〉中，已可發現它的源頭。這都是憂心國家民族前途，以流著東洋思想根底的佛教精神，希望育成下一代的國民。在今日男女共學的時代，提倡女子教育是當前要務，但在一世紀前高唱女性教育的理想，非說他是明察的先覺者不可。

和高楠順次郎的理想共鳴，在物質和精神兩方面加以協助的是西本願寺以及大谷家。是佛教主義女子大創設計畫的壯大者，但昭和初年經濟界的變動，和接著而來的是日中事變，而投入大東亞戰爭，它的實現是戰後的事。高楠順次郎儘管胸中懷抱著理想，但在終戰前二個月的昭和二十年（1945）六月二十八日，在自己最喜好的不二山麓的樂山莊結束了八十歲的偉大生涯。

他生於明治維新的前夜，經歷明治、大正、昭和三代，熬過近代日本的成長期，是幸或不幸？他沒有看到大東亞戰爭敗戰的結束，就結束其一生，是戰前派的偉大日本人。

主要著書‧評傳

1 《高楠順次郎全集》（全九卷） 教育新潮社 一九七七年 （高
楠順次郎的主要著作大概都收錄）

2 〈アジア民族の中心思想〉（インド編）《全集》第一卷所收。

3 〈アジア民族の中心思想〉（支那‧日本編）《全集》第二卷所收

4 〈佛教的根本思想〉 《全集》的第三卷所收。（昭和五年九月，
在中央佛教會館為佛教大眾化所作的講稿）

5 〈新文化原理として佛教〉 《全集》第三卷所收。（昭和十九年
十二月八日執筆，可說是高楠順次郎的遺書）

七

河口慧海

（1866-1945）

大阪工業大學教授　高山龍三

求道之旅

一八九七年（明治三十年）六月，從神戶港的碼頭，三十二歲（虛歲）的禪僧將要乘船出國旅行。親戚和友人來送行，是不能逆料的出國之旅。河口慧海的長途旅行就從這次開始。這次的旅行會如何，並沒有完全的目標。但他有皈依佛的強烈信仰和無休止探究真實的決心。

那次旅行的目的，根據他的著作《西藏旅行記》的卷首，對當時以漢譯為中心的佛教經典並不滿意，想到佛教發祥地的印度求原本，但印度已無原典，大乘佛教的佛典，尼泊爾、西藏好像有，因佛典的西藏語譯可說是正確的學說，為什麼要求那些佛典，可說是想做研究。為此，開始想到要越過喜馬拉雅山，進入印度，他自己說是一八九三年二十八歲時，是日清戰爭的前一年。

河口慧海是一八六六年一月，生於現在堺市北旅籠町，樽桶製造業的河口善吉、母親恆的長男。幼名定治郎。現在，這出生地附近的南海電鐵本線七道驛前，立著慧海的像。在小學校時不得不中途退學，改上夜學，但向學之心並未減退。因讀《釋迦一代記》而發心，十五歲時，發誓禁酒、禁肉食、不淫。後來，他二十五歲時出家，由此之後，從十年前，一直到過世，更忠實於佛教的教義，持續遵守一

日兩餐的戒律。

慧海貫徹正義的性格，和周圍起了摩擦。在同志社學了數個月退學，當小學的聘雇老師，不久辭職，說和本山的騷動有牽連而歸還僧籍，告別他學習巴利語和印度事情的老師，留下了不少的軼事。努力苦學，哲學館（現東洋大學）畢業。在這裡，受到井上圓了學問和思想的影響。

井上方面，一九〇二年慧海從西藏來印度時再相會。同時，從倫敦經中亞細亞，到印度的大谷光瑞也見了面。慧海聽到他在西藏時的恩人因為他而下獄，為了拜託尼泊爾國王，送上書文給西藏法王，再度進入尼泊爾，而受到兩人的責備。慧海如果不去的話，怎麼也無法盡道義，所以他說，賭命也要去。

探險家嗎？

說到河口慧海，由於西藏的探險，被當作是大探險家來評價。即一九〇三年回國不久，還有死後即戰後的再評價。又《旅行記》繼續被再版。但他自己否定了自己是探險家。在《旅行記》的序說到，「去西藏是學習勇敢的冒險家，並不想立探險之功，自己沒有探險家的資格。」雖是那樣說，依《旅行記》，他一付諸行動，那強韌的身心、慎重的行動、周到的準備、緊急時的決斷，真可以看出大探險家的資質。

慧海的西藏旅行，從想追求真實之物的徹底的人生哲學來看，可以說是必然會產生的事。絕不是隨便想，也不是誰可以命令的事。既沒從國家，也沒從宗派得到援助。和在他之後進入西藏的青木文教（1912-1916）、多田等觀（1913-1923），還有依西本願寺大谷光瑞之命所進行的相比，可說是自主的、獨創的。

印度學的成立

　　日本的印度學，可說從南條文雄開始，由高楠順次郎加以繼承。他們都曾在歐洲學習。南條是由東本願寺派遣，到英國牛津大學留學，是在印度學、言語學、宗教學權威 Max Müller 的門下修習梵語。因南條文雄就任東京帝大講師是一八八五年，慧海上京是一八八八年，可說同時期都在東京，但他們間的關係並不明朗。還有，因慧海的西藏旅行中，南條曾向河口探詢消息，想來兩人必有交流。又，一九〇九年，為了第二回的西藏旅行待在印度，給南條的信的底稿還留著。在信裡，慧海感謝南條的來信，和送給他的十二冊雜誌，因此於《旅行記》英譯（同年）的工作而沒有回信的事，想要開始研究佛教梵典的事，把庭院裡菩提樹的新芽放入信封的事。

　　高楠是由西本願寺派遣赴歐洲留學，到英國、德國學習，回國後一九〇一年在東京帝大創設梵語學講座，擔任第一代的教授。同一年，在日本，他和慧海的關係也不明朗，但在印度、尼泊爾，兩人的行動有留下記錄。一九一二年，慧海邀請在印度旅行中的高楠、長谷部隆諦、溪道元、增田慈良，巡禮探究佛跡。說到一九一二年，是慧海第二次旅行離開日本的一九〇四年以來的第八年，經加爾各答、尼泊爾；一九〇六年以來，在貝那拉斯學習梵語，也遍訪佛跡。

　　根據溪（黃檗宗管長）的記錄，高楠從英國的歸途，順道到為了參拜佛跡的慧海所在的地方。高楠當總領隊，慧海是嚮導，增田是記錄，溪是攝影，十二月由貝那拉斯出發，參拜拘尸那揭羅等北方的佛跡，拜訪尼泊爾的迦毘羅城跡。在尼泊爾時，被要求出示入國許可，慧海和當地官員折衝，本要以罪人處置的，也以貴賓相待。在釋尊誕生地的倫毘尼，迎接一九一三年的元旦，一月下旬回到貝那拉斯。後來也參拜南方的佛跡。關於他們進入尼泊爾的事，蘭東的著作《尼泊

爾》一書卷末的拜訪尼泊爾的外國人名單中，在一九一三年，有高楠東大教授、河口慧海之外日本人二名，為梵語研究而入國的記載。當然，在那之前慧海偷偷進入尼泊爾的事，並沒有記載。

在日本印度學成立的初期，以個人為中心的現地研究任務，慧海出乎意料地做到了。但是，歸國後一直是在野的研究者。在日本印度學的成立期，慧海的現代研究，實在是重要的事，興隆期日本的大部分學問是由歐美引入的學問體系成為主流，這之外的學問就沒法兼顧了。

《旅行記》的評價

慧海的主要著作大概可分為：（一）西藏旅行和西藏事情等的記錄；（二）西藏、梵文經典的翻譯、編纂。（三）西藏語、文典；（四）他自己的佛教思想等四個方面。

第一次旅行回國後不久，他的探險記以口述筆記的方式，在《東京時事新報》、《大阪每日新聞》連載。其中的記事很受好評，不久該書分成上下二卷，由博文館出版（1904）。那是對於當時作為秘密之國，完全封閉的國家，可以滿足民眾好奇心的書，這無名禪僧的探險記，對於文明開化、富國強兵時代的日本起了共鳴。這是日俄開戰之年的事情。

但是，比起那個，讓河口能留有世界性名聲的是該書英譯本的出版。該書在日本出版不久，即進行英譯計畫，雖然譯稿完成了，但在日本並不可能出版，聽說慧海曾把稿子拿到印度。根據英譯本的序文，當時有揚谷哈斯龐德進攻西藏的形勢變化，還有赫丁（Sven Hedin）的書也要出版，因此沒有出版慧海著作的理由。但是，當時停留在印度的神智協會會長培尚德女史熱心協助出版。他認為東洋人所看到的西藏應該讓世人知道。

　　題名為《在藏三年》（*Three Years in Tibet*），本文七一九頁的大作，一九〇九年由馬德拉斯的神智協會出版（1979 年加德滿都再版）。這書從出版不久到現在，是有關西藏的各種書、旅行記，甚至是研究書中，實際上最常被引用的。最近美國的賴特，出版了重新體驗慧海在尼泊爾、西藏的足跡的書。[1]

　　在文化人類學、民族學關係中有廣為人知的 HRAF（人間關係地域資料）情報系統。這是把全世界各民族有關的情報做成檔案，讓人很容易檢索。在日本京大圖書館和千里的國立民族學博物館可以利用。這恐怕是人文關係學中唯一的檔案系統。所收入的文獻，以人類學者、民族學者的民族誌為主，但古老的宣教師、外交官等的記錄也包含在內。在西藏這地域，慧海的英文旅行記也被收錄，而且資料評價是五級中的第五級，即給予最高評價。他絕不是民族學的專門家，但有直接做田野調查的資質。把看到的和聽到的直接記錄下來。他的觀察包括人間、文化所有方面，就現在來看，重要的記述也不少。令人驚訝的是，也關心到西藏的政治、經濟，和國際關係。這些地方也常常被引用，但又因這點，一如很多外國人被懷疑的，是不是日本的間諜？

　　同時期潛入西藏研究的日本特務成田安輝，是一九〇一年秋，通過芎比谷，進入拉薩，滯留二十多天。和慧海同時在拉薩，卻不相知。成田的日記《進藏日誌》，一九七〇年被發現刊行[2]。對外國人來說，是不是把慧海和成田混在一起呢？

---

[1]　S. Berry, 1989, *A Stranger in Tibet.* Kodansha International。

[2]　《山岳》第 65 年，1970；第 66 年，1971。

西藏學之祖

　　慧海的貢獻並不僅是《旅行記》，他也帶回各式各樣的收集品。首先，有大量的經典。這當然是他兩次旅行的第一目的。後來，在中國旅行時所收集的也包括在內，在東洋文庫藏有西藏大藏經、藏外文獻、梵語字本，大正大學圖書館有西藏大藏經，東大圖書館有西藏大藏經、梵語寫本。

　　這些之外，佛像有一四四座，佛畫二六一幅，經帙板二十八片，佛具三八五項，民具類四一三項，動植物標本一二五項，礦物標本一三〇項，收藏在東北大學文學部東洋、日本美術史研究室[3]。最後，在河口家的佛像、佛具類二十項，收藏於東京國立博物館，植物標本約一千項，收藏在國立科學博物館分館。

　　就因為慧海，不僅西藏語、佛教學，而且西藏文化全體的型態呈現在我們面前。

　　一九一七年從第二次旅行回國後，慧海按照以前的目的，開始研究帶回之經典，並加以翻譯。大量的經典翻譯需要很多的人力。因此，首先，培養懂西藏語的人才是一項急務。他為了幫助西藏語的研究生，請求企業界捐贈。研究生中，橋本凝胤（藥師寺管主）、山田無文（妙心寺塔頭，花園大學長）都在。好幾次對慧海的事業發起後援會，出版《入菩薩行》[4]、《西藏傳印度佛教歷史（上）》[5]、《（梵藏傳譯）法華經（上）（中）（下）》[6]、《印度歌劇シヤクンタラ─姬

---

[3]　《東北大學文學部所藏河口慧海請來チベット資料圖錄》（東京都：佼成出版社，1986 年）。

[4]　《入菩薩行》（東京都：博文館，1921 年）。

[5]　《西藏傳印度佛教歷史（上）》（京都市：貝葉書院，1922 年）。

[6]　《（梵藏傳譯）法華經（上）（中）（下）》（東京都：世界文庫，1924 年）。

（上）（下）》[7]、《（漢藏對譯）勝鬘經》[8]、《（漢藏對照國譯）維摩
經》[9]、《（ナルタン版）西藏大藏經甘珠目錄》[10]、《（梵藏和英合璧）
淨上三部經》[11]、《（藏文合譯）大日經》[12]。如果不是精通漢籍、西
藏語、梵語的慧海，不可能有這樣的業績。

　　前面說到指導西藏語的研究生之外，在大學裡也講授西藏佛教
和西藏語。第二次旅行回國二年後，在東洋大學講述西藏語，又一九
二四年在宗教大學（後來的大正大學）講述西藏佛教。一九二六年大
正大學設立，同時成為西藏語教授，出版《西藏文典》[13]、《西藏語
讀本第一》[14]。

　　一九四〇年七十五歲時，把西藏語、梵語經書類送給東洋文
庫。後來，到該文庫河口研究室編纂《藏和辭典》，因戰爭而未完
成。

做為佛的弟子

　　慧海的西藏旅行不僅做了前人無法達到的大事業，而且也開了
印度學、西藏學的基礎。他一生的行動是做為佛的弟子，是持續在尋
求真的佛法。一般認為他太過嚴格的樣子，前面已說過。但做為真的
佛教徒，有了反抗既成佛教，特別是體制性的成規的行動。對於那本
《旅行記》，河口希望大家把它當作佛教的書來讀，改版[15]的序有說。

---

[7]　《印度歌劇シャクンタラー姬（上）（下）》（東京都：世界文庫，1924 年）。
[8]　《（漢藏對譯）勝鬘經》（東京都：世界文庫，1924 年）。
[9]　《（漢藏對照國譯）維摩經》（東京都：世界文庫，1928 年）。
[10]　《（ナルタン版）西藏大藏經甘珠目錄》（東京都：日本藏梵學會，1928 年）。
[11]　合著《（梵藏和英合璧）淨上三部經》（東京都：大東出版社，1931 年）。
[12]　《（藏文合譯）大日經》（埼玉縣：西藏經典出版所，1934 年）。
[13]　《西藏文典》（東京都：大東出版社，1936 年）。
[14]　《西藏語讀本第一》（東京都：大日本藏梵學會，1937 年）。
[15]　《旅行記》（東京都：山喜房佛書林，1914 年）。

一九二一年歸還黃檗宗的僧籍，轉向釋尊本尊主義的純粹主義。以自宅為中心，主宰佛教修養會性質的集會，從「雪山會」經「佛教宣揚會」，轉為「在家佛教修行團」。在那裡集會的人，唱慧海所著《佛教和讚》（1921），還有《佛教日課》，聽他講課。一九二六年六十歲時，宣布還俗。一般所說的還俗是回到世俗的意思，但嚴屬精進的態度並沒有改變。不是體制性組織佛教中的僧人，而是要尋求釋迦本來的佛教徒生活。出版了《在家佛教》[16]、《正真佛教》[17]。要說的話，他的思想和行動，可以和內村鑑三的「無教會主義」相比。

慧海不僅作為探險家，即使作為思想家，在日本文學史、思想史、宗教史也應有很好的評價，評論家伊藤剛這樣說。[18]

還有，慧海不僅是富國強兵期的探險家，也是和平主義者、國際人。他在《佛教日課》的〈觀三寶發願文〉的結尾說：「沒有戰爭，願這世界顯現絕對和平的常寂光淨土」。年輕時代直接碰觸亞洲，一有國際性的視野，對懷抱人類無限愛的慧海的性格，是很容易看出來的。第二次大戰快結束的一九四五年二月，因腦溢血倒下來就過世了。享年八十歲。

16　《在家佛教》（東京都：世界文庫，1926 年）。
17　《正真佛教》（東京都：古今書院，1936 年）。
18　〈河口慧海の生涯と思想〉，《中央公論》70 年 3 月號（1969 年 12 月）。

主要著書・評傳

1 《チベット旅行記》 全五卷 講談社學術文庫 一九七八年（另外，白水社版、旺文社文庫版，有一部份省略）

2 《第二回チベット旅行記》 講談社學術文庫 一九八一年（《入藏記》、《雪山歌旅行》）

3 《東北大學所藏河口慧海請來チベット資料圖錄》 佼成出版社 一九八六年

4 *Three Years in Tibet*, Kathmandu: Ratna Pustak Bhandar, 1979.

5 Scott Berry: *A Stranger in Tibet*, Tokyo and New York: Kodansha International, 1989.

八
服部宇之吉
（1867-1939）

東京大學名譽教授　宇野精一

略傳

　　服部宇之吉（1867-1939）號隨軒，生於慶應三年四月三十日，是福島縣安達郡二本松町二本松藩士服部藤八郎的三男。昭和十四年七月十一日，在東京市淀橋區諏訪町自宅，因年邁而過世。戒名叫禮文院殿隨軒正道大居士，墓地在文京區護國寺境內。他是帝國學士院（現在的日本學士院）會員、東京帝國大學（現在的東京大學）名譽教授、正三位、勳一等、文學博士。

　　他的一生充滿起伏。出生後一年，失去生母，他的叔父喜平、嬸嬸わさ，不忍見到藤八郎喪妻之苦，把宇之吉帶回養育。一方面，二本松藩加入奧羽同盟，因和官軍敵對，父親藤八郎戰死，養父隨著藩主逃難米澤，養母由於生病，不能徒步到米澤，雖是如此，因停留在那邊也是危險，帶著宇之吉到離鎮上不遠，叫上川先的農家避難，但官軍搜索很嚴厲，有時躲在馬廄所鋪的乾草下。那時，由於受傷的左眼治療不完全，後來，左眼當然也失明了。不久，事情圓滿解決，養父也回家，全家一起生活也成為可能。

　　明治五年，養父在東京麻布六本二本松藩邸謀得一職，乃遷到東京。恰好是學制發布，明治九年麻布小學校成立，宇之吉也入學學習。當時一學級是半年，因成績好的學生可以跳級，宇之吉在四年間

小學就畢業了。後來，在材木町宮崎艮山的私塾學漢學，堀口某人的私塾學數學，佐竹某人的私塾學英學。

明治十四年入學東京開成中學前身的共立學校（在神田淡路町），學了兩年，於明治十六年入學大學預備門。十九年，預定畢業，因制度改變，變成第一高等中學校，乃延期一年畢業。二十年，入學帝國大學文科大學哲學科。二十三年畢業，因當時文學士和法學士同樣具有高等文官的資格，是要當官員，或當教員，有點迷惑的時候，因文科大學長外山正一將他推薦給文部省專門學務局長浜尾新，遂進入文部省工作。那時，因得到文科大學的島田重禮教授的信任，而和他的三女繁子結婚。媒人是浜尾新。和島田在大學時是什麼程度的關係並不清楚，反正教授、學生人數都很少，所謂漢學科的學科並沒有，即使哲學科的學生也上漢學的課，因而互相認識。

但是，和官員的風格並不相合。翌年，向外山、浜尾提議而轉任教員。恰好，因京都第三高等中學校正在物色哲學、歷史、英語的教員，而在那邊就職。在被任命為教務主任、教頭時，二十七年，為了設立京都大學法學部，廢止第三高等學校，把學生分入其他高等學校──說是一高到五高，也只有五個，三高被廢止，因此僅有四校，對那四校，為了公平，決定用抽選來分配學生。

宇之吉在那工作結束後，升任到東京。九月，擔任高等師範學校教授，兼幹事，協助嘉納治五郎校長努力擴張學校。

經大概三年左右，於明治三十年十一月，任文部大臣秘書官，接著兼任參事官。因那是帝國大學總長浜尾新被任命為文部大臣，被要求當浜尾的秘書官也是不得已的。不久，浜尾大臣辭職，但宇之吉暫時被挽留在文部省，三十一年四月，東京帝國大學總長外山正一被任命為文部大臣，因而，再擔任秘書官。不久，跟著外山辭職而辭職。九月，再擔任東京高等師範學校教授，兼任東京帝國大學文科大學助教授。翌年是三十二年九月，專任東京帝國大學助教授，被派到

清國及德、義國留學四年。

在清國北京留學時，從三十三年六月至九月的九週間，因義和團之亂，遭遇非常危險，幸好無事歸國，十二月時，去德國。德國留學還不足一年半，文部大臣來電，由於清朝北京設新教育大學堂，想讓他去就任總教習（學部長那樣的工作），準備馬上回國，三十五年八月歸國，被授予東京帝國大學文科大學教授、文學博士，九月出發到北京。大學堂設速成師範館和速成仕學館，宇之吉擔任師範館的總教習。所謂師範館，在當時可以說是文科大學，現在可說相當於教育學部，仕學館相當於法學部。這工作不一定是他的理想。四十二年一月，和日本方面的教授一起回國。同年十月，清朝贈給文科進士的學位。此後，擔任東大教授，昭和三年三月三十一日，因定年申請退休。其間，擔任文學部長（大正十三至十五年），兼任京城帝國大學總長（大正十五至昭和二年）。同年六月，皇上敕旨頒受東京帝國大學名譽教授的稱號。此後，一方面以種種委員會、審議會的委員作活動，又擔任國學院大學學長（昭和四至昭和八年），又東方文化學院理事長、東方文化學院東京研究所所長（昭和四至昭和十四年），最用心的是東方文化學院的工作。所謂東方文化學院是日本廣泛從事東洋學研究的研究組織，選擇老學者和新進學者作廣泛專門領域的研究，創立於昭和四年。昭和二十四年被東京大學東洋文化研究所吸收合併而結束。

這個研究所在東京和京都設立，它的基金是外務省所管的團匪賠償金。這個團匪是前述宇之吉在北京所遭遇的義和團的事。這事件的賠償是清朝政府要對美、英、德、法和日本，支付賠償金。各國所得的賠償金用途不一，日本在北京設人文科學研究所，在上海設自然科學研究所，來進行研究。但因為中華民國國情不安定，在日本國內也有所謂設立研究所的事，那就是昭和四年設立，服部宇之吉自己在北京時，曾遭到九死一生的事件的基金工作，因而特別的關心努力。

還有，京都的研究所所長，是同樣在北京共生死的京都帝國大學名譽教授狩野直喜擔任。

事務的才能

以上，稍稍詳述的是他的經歷，同時也顯示了幕末到明治國情的一端，也涉及了學制變遷的狀況。還有，他的官歷，不單是教授歷，也曾擔任文部大臣秘書官等的事務官的經歷（期間總計二年），又所謂北京大學堂師範館總教習，在從事學校創設和經營的七年間，我想對他學問研究的領域也有影響，而且他不單是優秀的學者，在事務處理上也顯示了卓越的能力。關於他在事務處理上的軼事是流傳著，在東大文學部長時代，有裁決如流的評論；在東方文化時代，做理事長時，會計人員帶來預算書，那時他的眼睛有點不好，問事務員讀給他聽的，並指出「那地方有點怎麼樣」，會計重新再核算一次，竟發現錯誤。像這樣的事情也有。

學問

他的學問是擔任支那哲學講座主任教授的十八年間，授課的題目除「儒教倫理概論」之外，「支那上代哲學史」二回，跟先秦諸子有關的五回，《禮記》、《儀禮》、《周禮》等達到八回。可知他的中心研究主題是三禮。另著書論文非常多，最引人注目的是〈支那古禮と現代風俗〉[1]、〈井田私考〉[2]、〈宗法考〉[3]、〈禮の思想附實際〉[4]

---

[1] 〈支那古禮と現代風俗〉，《東亞研究》（1912 年）。
[2] 〈井田私考〉，《漢學》（1911 年）。
[3] 〈宗法考〉，《東洋學報》（1913 年）。
[4] 〈禮の思想附實際〉，《東洋思潮》十三（東京都：岩波書店，1935 年）。

等，全部是有關禮的貴重研究。在右邊提到的「井田」，是孟子等的
主張，由土地國有來作農地分配的農耕租稅法；所謂「宗法」是有關
家族組織的問題。還有，還沒完全寫完，有關《儀禮》的研究，用漢
文的著作《儀禮鄭注補正》[5]。

　　他是哲學科出身，熟悉西洋哲學和它的方法論，但是，為何那
方面的業績很少，例如：並沒有「支那哲學概論」等的著作和論文，
而疑問的是去做以禮為研究主題的論文？

　　我個人以為，年輕時擔任官員的生活，而對制度和組織產生興
趣，這是一點。在北京七年的生活，每次接觸到中國人的實際生活，
他認為非從禮來研究，不足以理解該國的思想文化。還有，他認為西
洋哲學的方法論不能處理支那的思想哲學等原因吧！我在他的生前有
好幾次見面，接受教誨，但是關於這點沒能問清楚，感到非常遺憾。
但是，因他勸導學生去做禮的研究，體認到它的重要性，可說毫無疑
義。一方面，所謂支那哲學概論這種主題的著作，一般來說是相當
少，我能見到的僅止於兩部，所以很少，大概哲學概論在中國思想中
是很困難的，這也是實情吧！對服部宇之吉來說，支那哲學概論的書
並沒有，在大學講課的題目也沒有，但有儒教倫理概論，或東洋倫理
綱要的著作，儒教倫理作為講義題目的事上述已說過。

　　禮的研究，特別是《儀禮》的研究，因是記錄古代與冠婚葬祭有
關的詳細行動、規定，在日本，祇是看書是很難以理解的事。但是，
住在中國，接觸他們的實際生活，服部宇之吉在北京的生活，因為是
清朝末期，和古代已有很大的變化，即使那樣，多少也存有古風，至
少擁有對古代之禮的興趣的契機。那也是感到有必要去研究禮的一個
原因。

---

[5]　《支那學研究》，1-3 編，1929-1933 年。

社會的活動

服部宇之吉據說有相當的語學才能，英語在第三高等學校已有作教授的程度，但在清朝是擅長中國語，在德國是擅長德語。大正四年，在美國哈佛大學擔任日本講座教授，這一年間從事有關儒教的授課，大正十二年十二月，外務省設置對支文化事業調查會，作為該會的委員，在大正十三年三月，關於前述北京和上海設置研究所的事，為了先考察，經上海、南京、蘇州、杭州、濟南、曲阜等，再到北京，其間在各地用英語或中國語作講演。

此外，為了推行上述的事業，日華共同設立東方文化事業總委員會，總裁是何劭忞[6]，副總裁由王樹柟和服部擔任。

昭和八年，滿州國國務總理鄭孝胥以下數人協議結束，因想興辦文化事業，請求我國（日本）的菱刈全權大使協助。因此，外務省文化事業部長和服部商談，委託日本方面的人選，推選白鳥庫吉、市村瓚次郎、關野貞、伊東忠太、池內宏、原田淑人、溝口貞次郎、狩野直喜、內藤虎次郎、濱田耕作、羽田亨和服部。昭和八年十月，在滿州國新京開發起人會，創立日滿文化協會[7]，鄭孝胥任會長，副會長兩名中，滿州方面是寶熙，日本方面未定。服部是理事中的一人。

對於湯島聖堂有不尋常的關心，有關大正十二年關東大地震燒燬的湯島聖堂的重建工作，以財團法人斯文會為中心，組織聖堂復興期成會，昭和十年聖堂落成。服部始終指導斯文會的活動，是長時期總務理事，晚年就任副會長[8]。聖堂仰高門之前所立的「湯島聖堂」石碑，是服部的親筆。

此外，也擔任西村茂樹創立的日本弘道會的副會長。

---

[6] 《新元史》的著者，東京帝國大學文學博士。
[7] 滿州方面是滿日文化協會。
[8] 會長是公爵德川家達。

　　還有，作為宮內省御用掛和東宮職御用掛，為宮中的各種事務和東宮[9]的皇太子教育而服務。在文部省方面，擔任教員檢定委員會臨時委員、國語調查會委員、臨時國語調查會委員、數學刷新評議會委員等。

人物

　　我所知道的服部宇之吉，在晚年的數年間，戴著金邊眼鏡，有非常嚴謹的一面，手指上戴著金質的結婚戒指，領帶上別著鑲有寶石的領帶夾，在上了年紀的人中是相當時髦的。

　　年輕時，當過官員，聽說酒量很好，但我認識他以來，他一滴酒也不喝。據說，他很喜歡鰻魚，但晚年的十年間，一口也不吃。這些大概是健康上的理由，但根據他的兒子武氏的話，是巴金森症，事實上在大正末年已有此病。他拖著一隻腳走路的樣子，那是因生病的緣故。但是，他的病並沒有治療的方法，至少在當時沒有，因而醫生並沒有告訴他本人和夫人。

9　後來的昭和天皇。

參考文獻

1　《服部先生古稀祝賀紀念論文集》　富山房　昭和十一年四月二十一日

2　〈服部隨軒先生追悼錄〉　《斯文》第二十一編九號　昭和十四年九月一日

3　服部先生追悼錄　《漢學會雜誌第七卷三號》　昭和十四年十一月五日

4　先學を語る　《東方學第四十六輯》　昭和四十八年七月二十五日

主要著書・評傳

1　《清國通考第一編》　三省堂　一九〇五年

2　《清國通考第二編》　三省堂　一九〇五年

3　《東洋倫理綱要》　京文社　一九一六年

4　《東洋倫理綱要（改訂版）》　京文社　一九二六年

5　《支那研究》　京文社　一九一六年

6　《支那研究（增訂版）》　京文社　一九二六年

7　《孔子及孔子教》　京文社　一九一七年

8　《孔子及孔子教（改訂版）》　京文社　一九二六年

9　《儒教と現代思潮》　明治出版社　一九一八年

10　《支那の國民性と思想》　京文社　一九二六年

11　《孔子教大義》　富山房　一九三九年

12　《北京籠城日記》　博文館　一九〇〇年

13　《北京籠城日記附回顧錄大崎日記（非賣品）》　一九二六年；
　　一九三九年再版

九

狩野直喜

（1868-1947）

京都女子大學教授　狩野直禎

　　狩野直喜是日本具有代表性的漢學家之一，和京都大學的同事內藤湖南、桑原隲藏一起，形成京都學派，培育後進。他的學風如他自己告訴弟子的，是「考證學」。

　　現在，試著從昭和三年迎接六十歲時所做的「講演及講課」的清單[1]，抽出講課的題目來看，他所說的，可能就更為明顯。

　　明治三十九年，京都帝國大學文科大學一開設，就開始講作為哲學科普通課程的「支那哲學史」（文末著作清單（1），以下僅用阿拉伯數字表示），又昭和四十一年文學科一開設，即開「支那文學史」（4）。又作為特殊課程的有「清朝學術」（明治四十一年）、「論語研究」（明治四十二年）、「清朝經學」（明治四十三年）、「公羊研究」（明治四十四年）、「左傳研究」（大正二年，與「公羊研究」合併，預定由みすず書房刊行）、「清朝經學」（大正三年）、「孟子研究」）（大正四年，和「論語研究」一起，（6）），「支那小說史」（大正五年）、「支那戲曲史」（大正六年，和「支那小說史」一起，（10））、「清朝文學」（大正十年）、「清朝の制度と文學」（大正十二年，和「清朝文學」一起，（9））、「兩漢學術考」（大正十三年）、「兩漢文學考」（大正十四年，和「兩漢學術考」一起，（2））、「魏晉學術考」（大正十五年）、「魏晉文學考」（昭和二年，和「魏晉學術考」一起，（3））。

---

[1]　《狩野教授還曆紀念支那學論叢》所收。

範圍從上古到清代，他的領域是哲學、文學，是不用說也知道的。他的漢學本領，甚至包含連作為史學科的課程來開設，也不會太離譜的課程。他的研究態度是祖述清朝考證學，平時敬愛的書是宋朝王應麟的《困學紀聞》，清朝顧炎武的《日知錄》。順便要說的是，狩野直喜有《漢文研究法》[2]，這書是大正三年八月，京都帝國大學夏季講演會演講的記錄，可說是支那學入門的指南。

狩野直喜在教學生時選用什麼樣的書作為教科書，並不太清楚，但從雜誌《東光》第五號「狩野直喜先生永逝紀念」中所刊追悼文的種種，以《日知錄》、《儀禮疏》、《元曲選》等為教本，是很清楚的。吉川幸次郎寫下這意思說：「在經書方面，特別是三禮（《周禮》、《儀禮》、《禮記》）的大家；在文學方面，選元曲。說到要讀《儀禮疏》和元曲等前人不能讀的書，是從讀前人不能讀的書這種熱情來的。」他的弟子有武內義雄、青木正兒、小島祐馬、本田成之、倉石武四郎、吉川幸次郎等人。

狩野直喜是明治元年二月十一日，生於現在的熊本市，是父親直恒的三男。幼名百熊，字子溫，號君山、半農人、葵園等。幼年時代父親即過世，由祖父直溫養育長大。直溫擔任藩學時習館的句讀師。直喜從幼年時代開始作詩，曾流傳著在藩主面前講學的趣事。

明治十年，西南戰爭爆發，熊本成了戰亂之地，祗好到城外避難。為了要挽救戰亂後荒廢的人心，佐佐友房在明治十二年，發起同心學舍。那是，「校舍用稻草作屋頂，課程既不是小學，也不是中學，是所謂漢學塾的學校，學科是漢學、數學、擊劍，老師是義務職（無報酬），學生自己煮飯過生活，校舍增建時，學生用車子運木材。」那樣的私塾。直喜這時是十二歲入塾。這同心學舍因由肥後出身，擔任明治天皇侍講的元田永孚的奔走，由天皇賜內帑金，而改為

---

[2] 《漢文研究法》（東京都：みすず書房，1979 年）。

濟濟黌中學[3]，直喜被編入本科二級。那是明治十五年，十五歲時的
事。這校名是取自於《詩經》。有「正倫理明大義，重廉恥振元氣，
磨知識進文明」，所謂三綱領的建學精神。在這樣的環境長大，無疑
地對他後來人格的形成有很大的影響。還有，時習館的第一任學頭秋
山玉山推展漢唐之學的肥後學風，對於狩野直喜由宋學進入漢代之
學，不是沒關係吧！

　明治十七年濟濟黌畢業後上京，以後曾回去過，但並沒有住熊
本。但是，對細川家來說，作為臣下的想法是很強烈的，要過世時，
要接受細川護貞氏的慰問，聽說在棉被之上放著褲子，盡禮地等待
著。

　一上京，先入神田共立學校[4]，學英語。說到買英英辭典來自己
用功。明治十九年入學第一高等學校。小川琢治是同窗友人，後來成
了京都大學的同事。他說過年輕時想唸英國文學，那是一高時代的事
吧！說到唸英國文學的話，應該會和他幾乎同年的夏目漱石相競爭。

　明治二十五年，入學東京帝國大學文科漢學科，和藤田豐八是
同學，桑原隲藏、高瀨武治郎是小一點的後輩。漢學科中，島田篁
村、根本通明、竹添進一郎是教授，但特別師事島田篁村。篁村在講
壇上講清朝考證，狩野直喜接受篁村的學風，超越江戶時代的儒學，
開了我國（日本）考證學之路。

　明治二十八年，大學畢業，這年日清戰爭結束。清朝因此走向
變法自強，康有為開始顯露頭角。明治三十二年寫了〈康式の新學偽
經考を読む〉一文，刊於《東洋哲學》雜誌，這是最早對這書的批
評、介紹（（7）所收）。又像後面提到的，經兩次到清朝留學，見到
清朝滅亡期實態的狩野，對《春秋》學有很深的關心。當然，不僅是

---

[3]　現在的濟濟黌高校。
[4]　在學時，改名為東京開成學校。

這樣的外在誘因,對漢代的學問來說,當然是走向《春秋》。因此,像在先前特殊課程清單所看到的,恐怕在我國(日本)是最初想到以「公羊研究」、「左傳研究」作為課程的題目,此後,從〈司馬遷の經學〉、〈禮經と漢制〉(全部(7)所收)開始,到〈公羊傳と漢制〉,或是一直到第二次大戰中,回答同鄉的金田新太郎陸軍少將的〈公羊學答問〉[5],寫了好多篇有關《春秋》的論文,也作了演講。

　　明治時代留學的話,規定留學歐洲,或者美國。但文部省在明治三十二年,任命服部宇之吉和狩野直喜留學清朝。經東京、京都兩大學的總長同意後,呈報的結果。服部這時已是東大的助教授,被派到清朝和德國留學,但狩野這邊則只有清朝。又以京大將來開設文科大學時,能任命為教授當作前提。這次留學,是由於一位熊本人、擔任第一任的京大總長,原一高校長木下廣次的大力提拔的緣故吧!木下的墓在京都黑谷金戒光明寺,隔著小道,在北側是狩野家的墓。筆者小時後,祖父帶著去參拜墓時,總是也參詣木下家的墓。這時教我「這是大恩人的墓」。即使現在,一直保有少年時候的習慣,到黑谷掃墓時,順便到木下家的墓地的事,總不會忘記。

　　那些暫時不談,服部是明治三十二年十月去北京,狩野因文部省的情況稍微晚一點。翌年即三十三年四月從日本出發。但是,六月爆發義和團之亂,服部們被困在北京。八月,由於聯軍入城,才脫困回國。到大正十二年,以義和團事變的賠償金作為財源,對支那文化事業調查委員會一成立,服部宇之吉和其他委員一起被任命。大正十四年,作為這個調查委員會事業的一環的東方文化事業委員會設立,而成為委員。以後的詳細經過在此不談。昭和四年,東方文化學院在東京和京都開設,擔任理事,並被委任為第一任京都研究所所長。一直到十三年的十年間,掌理研究所的營運工作。當然,東京方面是服

5　《みすず》第179號。

部擔任所長。

　話再說回來，因義和團事變而一度回頭。但從明治三十四年的兩年間，重新到清朝留學。留學中，在上海與 The North China Branch of the Royal Asiatic Society 經常來往，關心歐洲的漢學，並努力向日本介紹。例如，法國 Henri Cordier（1849-1925）的 Bibliotheca Sinica（支那書目）等書，常常在講課時引用到。他常出入 Royal Asiatic Society 的事，在晚年時說：「那是年輕人的衝動」，在那時，他不滿意中國和日本的古典研究，想接觸歐洲人的研究法，是不是想改正清朝考證學方法的正道，而讓我們有所認識。歐洲人的研究法，一方面對歐洲人來說，是當然的事，中國古典是外國語的文獻，從語言學的立場來看是非加以檢討不可。另方面是，對以前中國學者和江戶時代儒者所捨棄不顧的戲曲、小說，加以關心，還有以道教為代表的民間風俗習慣的研究。此外，這時中國的舊制度被廢，新制度即將形成，例如，科舉被廢除的事，是狩野結束兩年間的留學回國，兩年後的一九〇五年的事。

　回國後在京都定居，剛好是日俄戰爭的前夜。文科大學也因預算的關係沒有開設。期間，一面擔任法科大學的講師，一面在圖書館抄卡片，也在京都法政專門學校[6]教支那時事。這時，其中的一個學生是小島祐馬。不久，由臺灣總督府委託做臺灣舊慣調查會的工作，協助法科大學織田萬，從事《清國行政法》的編纂，和經濟史家加藤繁、法制史家東川德治一起工作。《清國行政法》並沒有署名狩野直喜著，但宮崎市定說過：「這一空前的名著是，在清朝法典的記述解體，改為西歐的體系下，重新調查清朝的行政法，努力去埋解它，這時能擔任清朝法典素材解讀的，當然是先生。」（（9）解說）由於對制度的興趣和理解，更作了「清の地方制度」的講演（（7）所收）、

---

[6]　現在的立命館大學。

「清朝の制度と文學」的課程。還有，在明治末至大正間有很多讀者的《經濟大辭典》，狩野也擔任孔子、孟子、荀子、顧炎武，以及食貨、清國財務衙門、木ツボ——等條目的執筆，這可以說是《清國行政法》的副產品。

狩野有關道教和風俗的論文和演講，在一九一○年代可以看到很多，有〈道教の道德に就きて〉、〈支那上代の巫、巫咸について〉、〈支那古代祭祀の風俗に就いて〉、〈支那人の通俗道德及び宗教思想〉等等（全部有收）。事實上，這些研究所以深刻是結合他的看家本領禮的研究，換句話說，是由同根而生的東西。

狩野直喜在清朝留學時，即關心小說和戲曲的研究的事，前面已說過，但戲曲的研究並不是受王國維影響而產生的，這點吉川幸次郎曾再三提到；講到中國小說史的事，也在魯迅《中國小說史略》刊行之前。（詳見（10）的跋文）

明治三十九年，和狩野亨吉成為文科大學創立委員之一，努力於設立工作。這時世界可說競相於絲路的探險，不久，史坦因和伯希和帶走的敦煌文物一被介紹出來，小說、戲曲研究中原已丟失的某個環節的資料，也廣為世人所知。明治四十三年，和內藤虎次郎、小川琢治一起，出差到清朝做敦煌古書調查。又從明治四十五年九月至大正二年的一年間，到歐洲留學。利用西伯利亞鐵路到俄國，在列寧格勒和拉多列夫見面，再到巴黎。在巴黎住在愛德華廣場附近，而和伯希和、謝杭努等結交，在倫敦也作文書調查。那成果是抄錄小型的筆記三冊。回國後，為文發表〈續狗尾錄〉（（5）所收）等，改作歐洲漢學的介紹。這時，祖父的親法派是相當強的，第二次大戰中，巴黎落入納粹德國時，從自宅徒步僅十分鐘的日法會館，穿著禮服走出來弔問的事是已經介紹過的逸事。

還有，身為一位儒臣，沒有比向皇帝講學的事更能一償宿願的了。大正十二年，第一次擔任宮中御講書的講師，進講「《尚書・堯

典》第一節」，這時為求完美，三次改稿。此後，昭和二年講〈古音支那儒生の政治に關する理想〉，昭和四年講〈我國に於ける儒學の變遷について〉，昭和七年講〈儒學の政治原理〉（以上（8））。在那些進講中，他一貫地說，政治不是由力而來，而是由德，祖述孔子的德治之教。但想到當時日本的政情，不覺得那是很大膽的發言。戰爭快結束時，特高的刑事好幾次來藉口「請教先生的高見」，來訪問我們家的事，至今仍記憶猶新，但說話的內容根本無從得知。

昭和三年為迎接定年退官，從大正末年起，以「兩漢學術考」等的漢代學術、文學，作為課程。退官後特別對《漢書》有好感，昭和十三年十一月，在東方文化研究所第十回開所紀念日，以〈禮經と漢制〉為題作紀念演講（（7）所收），〈漢書補注補〉在《東方學報》連載好幾回。（（2）作為附錄所收）晚年喜好杜甫的詩，開了不含中國文學專家的「讀杜會」。國家重視他的成就，於昭和十九年四月天長的佳節（天皇誕生日），頒贈文化勳章。祖父喜愛清朝劉墉（石菴）的書法而學他的字，他「自認不是書法家」而很少動筆，特別要作為禮物的，都很固執地加以拒絕了。但和長尾申（雨山）、內藤虎次郎的交遊，或者河上肇、佐佐木惣一、河田嗣郎、津田清楓所組成的「翰墨會」，談到詩、書，或者畫，相互發揮了文人所特有的君子之交的本領。

祖父的興趣是在謠曲方面。從大學生時對能樂就有興趣，從定居在京都起，開始這種稽古的工作，和德國文學的藤代禎輔、國文學的阪倉篤太郎祖成叫松嵐會的會，自己拿手的是「松風」。筆者對謠曲也有一點嗜好，戰後很難聽清楚的收音機聽到「張良」，後來，從張良的話到韓信的胯下之辱，和「信能死刺我」的「死」字的解釋。教我一字也不能忽略，把陶淵明〈桃花源記〉序的「晉太元中」譯作「晉太元中的時候吧！」而讀給我聽的聲音，到現在仍然在耳邊縈繞著。

主要著書・評傳

1　《中國哲學史》　岩波書店　一九五三年

2　《兩漢學術考》　筑摩書店　一九六四年

3　《魏晉學術考》　筑摩書店　一九六八年

4　《支那文學史》　みすず書房　一九七〇年

5　《支那學文藪（增補版）》　みすず書房　一九七三年

6　《論語孟子研究》　みすず書房　一九七七年

7　《讀書纂餘（增補版）》　みすず書房　一九八〇年

8　《御進講錄（增補版）》　みすず書房　一九八四年

9　《清朝の制度と文學》　みすず書房　一九八四年

10　《支那小說戲曲史》　みすず書房　一九九二年

鳥居龍藏

（1870-1951）

アシア總合研究所東洋史學主任　白鳥芳郎

　　昭和五十九年（1984），財團法人民族學振興會和日本民族學會，兩者有相同的創立母體，一起迎接創立五十週年。同年，日本人類學會迎接創立百周年。這兩個學會各自舉行祝賀的儀式以後，接著兩個學會一起在東京全共連大樓內，設席舉行盛大的祝賀會。使人想到日本人類學會先於日本民族學會本世紀前創立。說到在日本引入歐洲的人類學，明治十七年（1884）在東京大學第一次成立人類學會的就是坪井正五郎。而和這個老師見面，讓鳥居龍藏這少年完成人類學者、考古學者和民族學者的生涯，這機緣實在是個動人的故事而流傳著。又向我們談到這美妙的師弟愛故事的是，同是幼年時，在鄉里長野縣諏訪地，與來作考古學調查的鳥居相會，把他的生涯作為考古學、民族學第一人的是故八幡一郎。人與人相會的尊貴性，實令人感動。[1]

　　總之，天生具有學者的資質，且燃燒著旺盛的學問欲望的鳥居龍藏，在明治十九年（1886）十六歲時，走出鄉里德島縣船場町的鄉關，加入東京人類學會。在開始走向人類學之道的歷史，是入坪井正五郎之門，如果忽視感情豐富的師弟關係，無論如何也無法說清楚。

　　順便說，鳥居龍藏有志於研究人類學，成為坪井正五郎的門下

---

[1]　八幡一郎：《鳥居龍藏》，收入《日本民俗文化大系（9）》（東京都：講談社，1978 年）。

生，開始學習的時候，日本的人類學還在它的搖籃期。他的老師坪井正五郎留學歐洲，專門學習英國流派的人類學，回國後，明治二十六年（1893）在東京大學開設人類學的講座起，鳥居龍藏自己受到坪井人類學的薰陶，一併學習英國的自然人類學（形質人類學）和文化人類學。那是在鳥居生涯中所開拓很多的野外調查，兼顧到以人類自然史研究為中心的人類學，和著重文化史研究的民族學的方法，從先史時代一直到現代的自然民族，普遍地追究廣大的人類歷史是可能的，這才是使鳥居人類學成為人類學的真髓。

學會這樣的人類學知識的鳥居，在坪井的指示下，在東京帝國大學理科大學人類學教室的標本整理室，專心於他的職務。或是依坪井之命，或是東京人類學會，還有接受來自東京大學之命，明治二十八年（1895），首先被派到遼東半島作調查，或作臺灣蕃族的調查，或作臺灣紅頭嶼的調查，又在北千島作愛伊奴族的調查，接著西南中國苗族和羅羅族[2]的調查，又滿州[3]、蒙古的人類學調查，還有朝鮮的古蹟調查，或是東西伯利亞的調查，接著還有滿州、華北的調查，還在調查的空隙到巴西當文化使節，訪問秘魯、玻利維亞。又在華北、遼代和宋代遺跡調查等等人類學和考古學的調查，一直到昭和十三年（1938）。恰好綿亙四十三年間的長時期，連年休假也沒有時間的不斷工作，作為學者，他實現了沒有後悔的貴重任務。

實際上，貫徹了超人的繁重工作的鳥居，他的偉大的功績，在各個領域，即使從人類學、先史學，甚至考古學，還有民族學的立場來看，在世界上也是極為先驅性的業績，這使他留名青史。事實上，鳥居從二十五歲至六十八歲，所考察的如上所說的各個地域，從調查報告中，引起我關心的可找出幾個來看，首先要舉出的是臺灣東南海

---

[2] 現在的彝族。
[3] 現在中國東北地區。

岸住在紅頭嶼雅美族的調查報告《紅頭嶼土俗調查報告》[4]；其次，帶有很強興趣的是，以貴州和雲南為中心，分布在中國西南各省居住的苗族和羅羅族（彝族）的調查報告書《人類學上より見たる西南支那》[5]，還有可以說是它的姐妹篇的《苗族調查報告》[6]。

和這有別的是，鳥居先生研究日本的上代史，創造繩文文化的人是阿伊努族的祖先，他們北從千島南至沖繩，向全日本擴張，數千年間成為日本列島的主人翁。經由朝鮮沿海州來到日本的北方民族，即創造彌生文化的固有日本人，吸收原住民，同化他們，或者用武力向北壓迫，並把它閉鎖起來，使自己成為日本的主人翁。不久，統一日本，創造了日本人、日本文化的基礎。提出這種學說的《有史以前の日本》[7]，以前我是中學生的時候，因讀過這本書而印象深刻。固然，以水稻耕作作為基調的彌生文化的創造人，經朝鮮沿海州來到日本的這種想法，因在廣大華南之地尋找今日水稻耕作的淵源的學說也有被提到，所以有再考察的必要。

鳥居先生從明治二十八年至昭和十三年幾乎為人類學的調查而出差海外，其間，在大正九年（1920）從巴黎的學士院獲贈人類學術賞。同年十二月，由國際人類學聯盟推為正會員，及日本代表委員。

大正十一年（1922）二月七日，被任命為東京大學助教授，大正十二年兼任國學院大學教授，其間培養出好多優秀的研究者，且在執筆書寫和論文方面，精力一直很旺盛。昭和三年（1928）被聘為上智大學教授，就是第一任的文學部長。

還有，他如先前所說的，昭和十三年在華北調查遼代和北宋的遺跡，翌年即昭和十四年（1939），由於北京燕京大學的聘請，擔任

---

[4]　《紅頭嶼土俗調查報告》（東京都：東京大學，1902 年）。

[5]　《人類學上より見たる西南支那》（東京都：富山房，1926 年）。

[6]　《苗族調查報告》（東京都：東京大學，1907 年）。

[7]　《有史以前の日本》（東京都：磯部甲陽堂，1918 年）。

客座教授。從在北京以來，持續在中國各地調查旅行，其間有很多的
業績在《燕京學報》發表。又昭和十六年（1941）由於大東亞戰爭爆
發，燕京大學被關閉，他一直留在北京，昭和二十年（1945）八月戰
爭結束，燕京大學再開放，他再度回來擔任燕京大學客座教授，繼續
進行遼代文化的研究。

　　又昭和二十六年（1951）八十一歲，從燕京大學退職，同年八月
回國，昭和二十八年（1953）八十三歲時在東京過世。

　　又鳥居龍藏從過世到現在已三十七年，因《月刊しにか》的委
託，想寫他的業績和他的生涯的評論。和鳥居先生直接交談過，還有
真正理解他的學問，即人類學的業績的人幾乎都已不存在，對我來
說，不論如何也要寫。

　　想起昭和六年（1931）我是中學生時，借助大野延太郎的《土中
の文化》[8]，鳥居龍藏的《有史以前の日本》[9]等書，對古代人的生活
抱著興趣時，我的祖父白鳥庫吉對我說：「和鳥居先生在年輕時，第
一次在東大的山上御殿（現在的山上會館）相會以來，一直有很親密
的交往。」又鳥居先生也好幾次到我家（當時在上目黑），在出版〈土
俗學上より觀たる蒙古〉（昭和六年）時，也聽到鳥居和夫人到我們
家拜訪的事，通常特別感到親密。還有，大東亞戰爭爆發時，幾乎所
有的日本學者都回國了，只有鳥居留在北京，由於他的消息中斷，我
們東洋史的同事都非常擔心。

　　其中很特別地，我稍微要說的是專攻華南史，而且專心於中國
西南民族誌的研究。鳥居的著作以《苗族調查報告》和〈人類學上よ
り見たる西南支那〉為首，其他〈苗族卜猓玀族ニ就テ〉[10]等論文，
作為這方面的研究不可忽略的先驅業績，表示了深深的敬意。鳥居在

---

[8]　《土中の文化》（東京都：春陽堂，1931 年）。
[9]　《有史以前の日本》（東京都：磯部甲陽堂，1918 年）。
[10]　《東洋學藝雜誌》第 20 卷 259 號（1903 年）。

上記〈人類學上より見たる西南支那〉的凡例中說到：「南支那苗族、
猓玀族等的調查，在我國（日本）人中，我的工作也是最先的，這事
又有最後的感覺（大正十五年七月二十九日）。」事實上，他到遼東
半島，還有臺灣、千島，作人類學調查的工作。接著到華南，那時從
明治三十五年（1902）七月到三十六年（1903）三月間，在湖南、貴
州、四川、雲南等地，對苗族、猓玀族（羅羅）、西番（今日的普米
族）所做的調查。的確如他所說的，在同地苗族、猓玀族的調查可以
感覺到那是日本人最初、也是最後的調查。此後的七十七年間，即到
昭和五十四年（1979），我為了文化人類學的調查，到貴州、四川、
雲南等地，拜訪苗族、猓玀族（今日的彝族）的村落，日本的人類學
者和民族學者沒有一個人去拜訪過。

　　鳥居進入貴州苗族之地的路徑是從湖南省的洞庭湖向西上溯沅
水，到達上游，上溯貴州省的清水江，經過沿岸有苗村的新晃、清
溪、鎮遠、施乘、黃平、貴定、凱里、挂丁、貴陽、安順、八蕃等
地，更向西進入雲南之地探尋路南彌勒的猓玀族（彝族）的村寨後，
再拜訪四川姜驛、會理、西昌、越嶲等猓玀族（彝族）所位的村落。
相對地，我在貴州之地尋找苗族村時所走過的路，和那相反，在雲南
之地拜訪路南石林、小箐等彝族村（撒尼彝族村）後，乘列車從昆明
到貴陽，再從該地乘車沿著清水江向東，探訪苗族村。想那是鳥居先
生先前走過的路。

　　我最初拜訪貴州黔東南苗族侗族自治州的苗村，是昭和五十四
年（1979），該地的苗族第一次見到日本人，都聚集起來，那時我禁
不住想，我才是第一個拜訪這些苗族的日本人，心裡覺得很興奮，但
馬上想起鳥居先生已於七十七年前來這裡做過苗族的調查，禁不住深
深的感動。又讓人深深的佩服的是，在亞洲大陸內地交通不發達的時
代，祇有舟和馬，有時徒步，鳥居先生卻完成了了不起的人類學的調
查工作。我關於苗族最先發表的是昭和三十六年（1961）的〈西南中

國少數民族の考察——羅羅族と苗——〉[11]；接著，關於苗族的論文
是昭和三十五年（1960）的Concerning the Racial and Cultural Relation
of the Miao. Extrait des Actes du VI[er] Congrés International des Sciences
Anthropologiques et Ethnologiques. Paris, 1960, Tome II （Ier volume）.
pp.281-284.

這裡，我要說到的苗族，鳥居在做苗族調查時，苗族中有各式
各樣的族群，其中討論到被認為是純苗的是黑苗、白苗、青苗、紅
苗、花苗五種。此事中國的各種文獻也有記載。事實上，能見到的中
國文獻，如《黔苗圖說》、《苗防備覽》、或是《皇清職貢圖》、《黔
南職方紀》等書，在那些書中，記載著多種稱呼的苗族，其中不是苗
族是非常清楚的，如羅羅族（彝族）、狆家（今日的布依族），或是
犵狫族（仡佬）、農苗（儂苗）等所謂別的系統的種族集團也加入敘
述。鳥居當然也談到這種事，但有時把所謂狆家（仲家）的壯侗系壯
傣語支的種族當作純苗來處理的情形也有。

總之，苗族的屬種、起源，可說仍舊眾說紛紜，尚未有定論。
即使如此，鳥居的《苗族調查報告》因是最早的研究成果，從歐人開
始的中國學學者的著作、論文中，引用到他的調查報告的不少。

那麼，一般被稱為苗族的民族，是屬於什麼樣系統的民族呢？
到現在從言語學的立場把它們加以分類的說法有好幾個，例如：有的
學者從言語和文化的面向，把苗族認為是一個獨立的民族集團
（Grierson G. A. Demieville. P., Masperao, 李方桂等）；又另有學者把
他們認為是屬於蒙克美魯語族（Davies, H. R. 丁文江）；還有別的說
法提到他們的語言是屬於泰語，還有別的說法提到他們的語言是屬於
泰語（Schmidt, P.W.等 ）；又其他的研究者從文化類型和種族系譜方
面個別加以檢討，但種族問題的解答並不明確（Eberhard, W. Stübel）

---

[11]　《和田清博士古稀紀念東洋史論叢》。

（H., Eickstedt, E. F. 凌純聲、芮逸夫等）。又有耶魯大學的 LeBar, F. M. 氏等，把苗、猺語系作為漢藏語系之一來分類。而且，一看近年中國國家民委民族問題五種叢書編輯委員會《中國少數民族》編寫編所編的《中國少數民族》所載「中國民族語言系屬簡表」，說苗族是屬於漢藏語系一支的苗瑤族語、苗語支。

關於苗族屬種的各種說法，到底哪一種說法是真的？是很難判斷。因有那樣的事，我於昭和五十七年（1983）和昭和五十九年（1985），三次到貴州，調查苗族中的衣裳、髮形和風俗，還有方言等，為何各個地方會有所不同？但當地研究者的意見是，苗族的語言大體分為三支方言，那是湘西方言（東部方言）、黔東方言（中部方言）、川黔滇方言。（《苗族簡史》，頁 3）我想這種方言的差別是因為本身居住地域不同，混入鄰接的其他民族的語言，而產生獨自的方言吧！不管如何，方言雖相異，基本文章構造是相同的。

由於有這樣的想法，我於今年（1990）四月到六月，到雲南和很多的學者對談。

這樣的事情是有一點附鳥居先生的驥尾，那是希望加深中國西南民族誌的研究的緣故。

還有很多想寫的問題，但因字數限制，祇好停筆。

最後想再說一句話，想起鳥居先生回國的第二年，我拜訪他家，和他們夫妻見面。他特別高興，談到和我祖父交往的各種事情。我想告辭時，他們夫妻一定要請我一起吃飯。那對我來說是和他第一次，也是最後一次的見面，想起，他擔任我長年任職的上智大學的第一任文學部長，又是虔敬的天主教信徒。

主要著書‧評傳

1 《鳥居龍藏全集》 朝日新聞社

2 《白鳥庫吉》 鳥居龍藏 八幡一郎、白鳥芳郎合著 《日本民
族文化大系（九）》 講談社 一九七八年

十一

鈴木大拙

（1870-1966）

財團法人松ケ岡文庫長　吉田紹欽

一

　　DT. Suzuki 大拙　貞太郎　鈴木之名，比起在國內，在海外似乎更有名也說不定。作為跨越明治、大正、昭和三代的學者，同時又作為求道者的九十六歲生涯，在昭和四十一年七月十二日，突然結束了。直到他過世，保持健康，勝過壯年人，傾全力執筆寫稿，他的過世不得不令人惋惜。

　　大拙是從參禪的老師釋宗演接受道號。把道號叫大拙是相當有名的事。以下把他稱為大拙。大拙是金澤前田藩醫學館的官員（家老本多氏的侍醫）鈴木良準四男一女中的四男。明治三年（1870）十月十八日，生於金澤市下本多町丁七番。貞太郎的貞是從長兄起，以元、亨、利、貞為各自的次弟而稱太郎。五歲時，父親因病逝世，此後不得不苦學，入學石川專門學校附屬初等中學校，該校改稱第四高等中學校，被編入予科三年而進學本科一年，因家庭的事情不得不退學。擔任石川縣飯田町飯田小學校、石川郡美川小學校的教員、訓導，協助一家的生計。

　　在小學校作為英文教師，擔任英語的課程。因為是醫生世家，那時的醫生學會西洋醫學是一項急務，大拙的父親暗中努力學習英語。大拙在家常常翻閱英語洋書。學英語的事並沒有錯，小學校聘任

他擔任英語教師，我想很可能就是這樣。最初當小學校的英語教師是明治二十二年（1889），他十九歲時。

　　二十歲時，母親過世，那時，在富山國泰寺開始參禪。有關參禪的經過，這裡不介紹，但這參禪的經驗成了決定大拙生涯的重要原因。二十一歲，辭去小學校訓導，上京入學東京專門學校，聽坪內逍遙的英文學課程。他決意以英文立身，大概是這樣的緣故吧！

　　這因緣沒想到變成契機。由於曾經參禪的經驗，得以在鎌倉圓覺寺拜見今北洪川之門。據說是因故鄉的先輩早川千吉郎的勸告。

　　但大拙拜見的翌年，洪川過世。圓覺寺由釋宗演成為住持。大拙接著拜見宗演。洪川、宗演都是日本臨濟禪的宗匠，但對洪川這保守的禪僧來說，宗演是進步的禪僧。宗演在慶應義塾學習，懂英語，到過錫蘭留學，對禪和佛教都有近代性的感覺。大拙遇到宗演這老師，這也是使大拙能放眼世界的原因。大拙是明治二十五年（1892）九月，入東京帝國大學文科大學哲學科選科，二十八年七月在該選科課程修了。由於在學期間學到了學問研究的重要性，不久，這給了他想到美國求學的決斷、勇氣和自信。三十年（1897）二月，由於宗演的推薦，在伊利諾州拉薩魯的歐本考特出版社的編輯部任職，幫助保羅・凱拉斯寫有關東洋的論文。大拙在拉薩魯停留到四十一年二月，時間相當長。

二

　　這期間，大拙可舉出的研究業績有很多，和凱拉斯一起完成的《老子道德經》，即 Lao-Tze's Tao-Teh King，由歐本考特出版社出版，是一八九八年的事。大拙個人的研究業績是，馬鳴的《大乘起信論》（*Acvaghosha's Discourse on the Awakening of Faith in the Mahayana*）的英譯是一九〇〇年由同一出版社刊行。這書的英譯相當困難，由於

完成翻譯，大拙在美國、歐洲學界的評價很快高起來。在這裡，大拙在歐本考特出版社，所完成的各個有關的業績，省略不談。但一九○七年由該社刊行的 Outlines of Mahayana Buddhism 是用英文書寫的大乘佛教概論，在今天也有很好的評價，這五十多年間多次重印，流傳很廣。大拙因這本書而成為知名的佛教研究的少壯學者。他也到芝加哥、舊金山、波士頓、紐約，作有關佛教講演的事，這完全是因大家都認識他。又到歐洲諸國，一九○八年九月，出席在英國的牛津舉行的萬國宗教史學會，被選為東洋部副部長。經巴黎，停留到翌年四月，經蘇伊士歸國，當時他是三十九歲。回國後，擔任學習院、東京帝國大學文學大學英語講師，對於一位學歷比較貧乏的學者來說，有那樣的職位，我想也是個特別的例子。明治四十三年（1910）升為學習院教授，好不容易地位安定下來了。這年，出版 Principal Teachings of the True Sect of Pure Land，接著翌年出版 The life of the Shonin Shinran 的事，使大拙跟東本願寺的關係更加緊密。後來，大拙對淨土教思想抱著關心，我想是從這時候加深了關係。不過，大拙和淨土教思想的關係，是從歐本考特出版社刊行保羅・凱拉斯的《阿彌陀佛》譯本，停留在舊金山時，受到東本願寺的舊金山佛教青年會的邀請，作有關親鸞教學時，修習他的知識，是不難推測的。那是從昭和十四年至十六年間，集結的《淨土系思想論》。大拙生平最後的工作，是立志把親鸞的《教行信證》加以英譯，即在這關係之上所能見到的成果。

還有，大拙和 E. 瑞典寶的思想也有共鳴。回國後，陸續翻譯了幾冊他的著作，後來，在一九一○年七月，在倫敦舉行的國際瑞典寶大會創立百年紀念，他以日本代表出席大會。接著，在明治四十五年，即大正元年（1912）四月，因瑞典寶協會的邀請，來到英國，這時來回都經由西伯利亞。五年四月，升任學習院第一寮、第二寮的寮長，負責學生教育，七月帶領學生到中國、朝鮮旅行。最近幾年，親

近受教於他而仍健在的幾個人，聽到他們因受大拙的教育指導而很懷念的事情。這時，在教育實踐上，有使禪的修行的內容更有意義的想法，《向上的鐵鎚》（大正四年刊）還有其他有關禪的著作，都可以看到。大正八年十一月，師父宗演六十歲過世。十年五月，辭去學習院教授。

比這稍早，在一九一四年，在倫敦出版 *A Brief History of Early Chinese Philosophy*，他對中國哲學的關心，在學習院的課程裡恐怕已有，我想這書就是他的成果。辭去學習院的工作，是因友人佐佐木月樵、西田幾多郎的勸告。所以應聘擔任真宗大谷大學的教授，是希望在宗教學上，把真宗教學加以體系化。同時，在宗教經驗之上，被認為是禪和淨土的接點的，是想把它當作學問來研究它，這也是有的事情。

大拙在這之前，和來日本的美國人比特雷絲·雷恩結婚。夫人的佛教造詣很深，由於這樣，被聘請為真宗大谷大學予科教授。大拙在大谷大學設立東方佛教徒協會（The Eastern Buddhist Society），創刊英文雜誌 *The Eastern Buddhist*，想用英文向海外廣泛的介紹佛教思想，他的夫人的幫助不用說也知道。該刊雖曾一時休刊，但大拙過世後，接續那傳統，一直發刊到現在，作為獨特的佛教思想刊物而知名於海外。夫人於昭和十四年（1939），六十一歲時過世。大拙在昭和三十五年十月，九十歲辭去大谷大學教職前，一直是該校教授。辭職後，當然成了名譽教授。順便說，該大學是大正十一年依據大學令改為大谷大學。在該大學擔任佛教學科、哲學科的講座，在佛教學科講大乘佛教學，在哲學科講宗教學。他在各年度講課的名稱在這裡不一一介紹，但一九三〇和一九三二年，在倫敦出版的《楞伽經研究》（*Studies in the Lankavatara Sutra*）和同經的梵文原文的英譯（*The Lankavatara Sutra*），是在佛學教學學科以大乘佛教學的課程為基礎所能見到的成果。用這英文、英譯的兩本著作和《梵文楞伽經梵漢藏

書索引》，從大谷大學得到文學博士。這時，大拙的大乘佛教研究，
擴大到《華嚴經》的研究，由於和泉芳璟共同校訂的《梵文華嚴經入
法界品》的出版，因此，大拙佛教研究的對象，傾全力於梵文原典研
究的事也廣為人所知。

　　說到原典研究，另方面在敦煌文獻，他所做的校訂也花費不少
精力，因《六祖壇經》、《神會錄》的校訂出版，有關《六祖壇經》
的異本研究，以及中國禪宗史研究，是可舉出的畫時期業績。由於敦
煌文獻的研究，接著有《敦煌出土少室逸書》、《校訂少室逸書及解
說、附錄達摩の禪法と思想及其他》的成果出版。中國禪宗史研究，
不經由敦煌文獻的話，基礎不夠穩固也是很明顯的。這些業績從昭和
九年至十一年，接連不斷的問世。

　　另外，關於英文的著作，一九二七年出版 *Essays in Zen
Buddihism* 第一卷，接著一九三三年是該書的第二卷，一九三四年是
該書的第三卷，現在在世界上也擁有廣泛的讀者層，在美國、歐洲重
印多次，有德譯本，也有法譯本。和第三卷同年出版的是 *An
Introduction to Zen Buddhism*，在一九三五年出版 *Manual of Zen
Buddhism*，在美國、歐洲，到現在一直在重印，那書的價值，由此可
見。

三

　　大拙的著作活動，日文、英文加起來，從一九三五年左右，一
直到過世的一九六六年，他的著書，是可以見到超人的成果，但在講
這事之前，還有他在海外的行動，那些事情是非知道不可。

　　昭和十一年（1936）六月，世界信仰大會在倫敦開幕，為了出席
那次大會，經美國到英國，大會在倫敦大學講堂開幕，他出席在凱茵
斯・波魯的會議，並做演講。那年十月、十一月，因日本外務省委

託，以日英文交換教授的身分，在劍橋大學，達拉姆大學、埃新巴拉大學等幾個大學，講日本佛教文化。在牛津大學，倫敦大學、日英協會演講，接著至法國、德國，在倫敦的大英博物館，查閱所藏的敦煌文獻，又去巴黎的國家圖書館查閱敦煌文獻。大拙雖著重在佛教思想的研究，但連文獻學的研究也不敢疏忽。這點，從大拙禪思想研究的集大成之作《禪思想史》第一（昭和十八年出版）、第二（昭和二十六年出版），還有過世後編成的第三（昭和四十三年），就可得知。經過周到的文獻學研究，思想史研究的成果會變得更重要。

昭和十一年十一月歸國時，到美國，在哥倫比亞、哈佛、芝加哥、西北、加州等幾個大學，哈德弗德美術館、芝加哥美術館等演講，同月月底，由舊金山回國。一九三八年出版 *Zen Buddihism and Its Influence on Japanese Culture*。這書恐怕是以上記各大學、美術館所作演講，作為基礎而收集完成的著作吧！該書在一九五九年以 *Zen and Japanese Culture* 的書名，在紐約、倫敦出版改訂版，到現在新版仍持續在出版。德語譯的 *Zen und die Kultur Japans* 是根據舊版而來。又日文譯的《禪と日本文化》也是舊版。昭和十五年四月，設立禪文化國際研究會，翌年三月，有意創立松ケ岡文庫。在我國（日本）進入戰時體制的時候，急需要做的是，把日本的思想、文化放在國際的評價之上，他擔心失去貴重的資料文獻，為了收藏保存那些文獻，創立文庫是不管如何一定要做的悲願。創立文庫的工作在戰局不利中進行，昭和二十年十二月，終於以財團法人被核准設立。大拙，加上比特雷絲夫人的藏書，在終戰的混亂中，收集到的貴重典籍實在相當多。其中有罕見的禪籍，那是重要的文化財。大拙加上這樣的悲願，他還有一個悲願。那是早已顧慮到終戰時一定會發生的思想混亂，催促日本人要有靈性的自覺。《日本的靈性》（昭和十九年刊）是為了那個花費精神而寫的書。該書的論點和《日本的靈性的自覺》（昭和二十一年）、《靈性的日本建設》（同上）、《日本的靈性化》（昭

和二十二年）相接續。昭和二十二年（1947）迎接七十七歲，大谷大學組成喜壽紀念會，紀念論文集《禪の論考》，在國內外學者的協助下編成了。昭和二十四年一月，成了日本學士院會員，十一月，接受文化勳章。授勳式時，因在夏威夷大學講學而缺席。在世界上，以DT. Suzuki 之名的活動是從夏威夷大學的講學開始。一直到昭和三十四年（1959），他八十九歲的八月，持續在美國的哈佛、耶魯、哥倫比亞、普林斯頓等大學講學，在克里蒙特大學的講學，時間特別長，在哥倫比亞是擔任客座教授。在美國期間的暑期休假，曾到過歐洲三次，也出席在瑞士阿司科諾召開的佛拉諾斯會議。昭和三十年，獲朝日文化賞。三十九年，由印度亞細亞協會頒授泰戈爾誕生百年賞。昭和三十四年，從夏威夷大學接受名譽法學博士學位。三十六年，到印度。

還有，關於他應該記的重大業績也有遺漏，如 Mysticism: Christian and Buddhist（1957）一書。著作目錄、年譜等，詳見《鈴木大拙全集》[1]的第三十二卷。希望能參考。

1　《鈴木大拙全集》（東京都：岩波書店，1968 年），第 32 卷。

主要著書・評傳

1 《鈴木大拙》 岩波書店 一九六八年

2 《鈴木大拙の人と學問》 春秋社 一九六一年

十二

桑原隲藏

（1871-1931）

京都大學教授　礪波　護

　　數年前，在《朝日新聞》大阪本社版，桑原隲藏的長男，法國文學研究者武夫揮筆所題，冠有「世界の中の關西」題字的一系列策劃，經兩年多，於去年一九九〇年，整理成一書[1]。該書學術編的東洋學，稱為東洋學，實際上是以東洋史為對象，是由「學說輸出」、「西域への目」、「大秦國の探究」、「大陸との交流」、「シルワロード」（絲路）五回構成。到第三回是由內藤湖南、桑原隲藏、宮崎市定的學業介紹作為各回的全文。在「西域への目」，說到桑原從明治四十年（1907）起的兩年間，在清朝留學時，和買不起〈大秦景教流行中國碑〉而偽刻景教碑運出的大丹國（丹麥）文士何樂模的奇緣之後，以京都大學東洋史學草創期的內藤和桑原相對照，抓住對當時政治未能忘情的內藤和貫徹嚴密考證的桑原的特徵，把他們比喻為中國的兩大史家，即作《史記》的司馬遷和作《資治通鑑》的司馬光，來當作我的看法加以介紹。

　　的確，我確信在京都帝大文科東洋史教室的創設期，由內藤和桑原二人相對照所作的領導，有很大的意義，他們的貢獻一直影響到現在。一般來說，從在野的記者進入象牙之塔，首先提倡中國史時代區分論的內藤，研究他的學識和識見的論著，一直沒有中斷；顯彰會在他的出生地秋田縣鹿角市和晚年隱居地的京都府加茂町發起，遺墨

---

[1]　《世界の中の關西—メディア・學術・企業》，東方出版。

也在展示著。和這相比，有關桑原的事跡的介紹可說相當少。少的話，更不需特別去吹毛求疵，但是，前年由我國（日本）翻譯 J. A. 福格的《內藤南湖——政治與漢學》[2]，由於弄錯事實，如下所作的介紹，讓人感到很困惑。

> 一般來說，在敬愛中國文化的京大東洋史的教授中，不屈的學者桑原隲藏（1879-1931）也可以說是例外的存在。他生於福井縣漢學者的世家，留下了中國和四周各民族關係史的優秀研究業績，還有著與各個題目有關的論考。桑原把十九世紀末的狀況作為自己的體會，以為有漢學素養的人，不一定對漢學母國的中國帶有情感。因此，桑原在一八九六年帝國大學漢文科一畢業，進大學院專攻東洋史，受到白鳥庫吉的薰陶。……總而言之，他對稱為中國的研究對象並沒有發現固有的價值，他為了要向西洋人表示日本人運用科學方法的能力並不亞於西洋人，所以選擇了漢學的路。在那意義之下，桑原是恩師白鳥忠實的弟子。還有，他非常輕視中國人，講課和著作中，常常故意侮辱和諷刺中國人。桑原在前近代有關東西貿易和東西交涉方面，留下很多先驅性的研究業績。但是，今天說到很多宦官、辮髮、食人肉等中國奇異風俗的研究，以桑原最有名。

在東西交涉史留下先驅性研究業績的桑原，討厭把研究對象作為興趣的對象，不喜歡被認為是玩物喪志的書畫古董，想樹立專門科學的東洋史學，對交往密切的同事內藤和狩野直喜，因過於偏愛中國文化而加以批評，或揶揄，是可以確定的。但並不是像福格所說那

---

[2] 《內藤南湖——政治與漢學》（東京都：平凡社，1989 年）。

樣，是一八七九年生於福井縣的漢學世家而是生於明治三年十二月七
日[3]，福井縣敦賀市鳥子屋和紙製造業者桑原久兵衛的次男。兄繼承
家業，弟弟開鐘錶店，他本來在高等小學校退學時，成績非常好，被
認為是身體虛弱不適合勞動，也因為這樣他才能遊學京都府立中學，
他當了教授回鄉的時候，由於老父的嚴命，據說還要他用棒子打草、
黃瑞香等協助造紙的作業。府立中學畢業，接著進入京都第三高等中
學校，繼續確保文科的第一名，因不及法科第一的幣原喜重郎的成績
而感到遺憾。從中學時代起即有志於歷史，在手冊上寫著「世界的歷
史家 —— 桑原隲藏」的桑原，去東京，進入帝國大學文科而選擇漢學
科，據說是因當時並沒有東洋史講座的緣故。明治二十九年（1896）
七月畢業，接著進入大學院，專攻東洋史的桑原，師事兼任講師那珂
通世（1851-1908），福格的書裡說白鳥庫吉（1865-1942）是桑原的
恩師，這說法是弄錯了。

　　在五井直弘的《近代日本と東洋史學》[4]，討論東京大學東洋史
學科成立時，談到在明治三十九年（一九〇六）發起的京都帝大文
科：

> 這樣的「支那」哲學、東洋史學、「支那」文學、語學也
> 分別立講座、學科，合設一個研究室在研究上緊密關連，
> 所謂「支那學」派的學風形成了。東西兩帝國大學東洋史
> 學成立經過的差異，產生了性格相異的東洋史學，那是由
> 於白鳥、內藤兩創立者思考方法不同所形成。（頁54）

關於這些說法，多少有補訂的必要。事實上，把研究室放在一起，也
不過大正三年三月起，一直到在研究室之西一百公尺的史學陳列館完

3　當時是舊曆，西曆是一八七一年一月二十七日。
4　五井直弘：《近代日本と東洋史學》（東京都：青木書店，1976年）。

工的數年間而已。後來，支那哲學和支那文學、語學，圖書室也是共有，但東洋史的研究室、圖書館則遷到新設的陳列館，這狀態一直到昭和三十九年（1964），持續了半世紀之久。關於這個，小島祐馬在〈開設當時の支那の學の教授たち〉[5]，說到狩野直喜、內藤、桑原三教授的學風，狩野和內藤是想實行清朝實事求是的方法；相反地，桑原以為中國人的研究大都粗陋不可靠，應取西洋科學的研究方法，但雙方都是實證性的，反對明代學風的漢學這一點，可說完全一致。狩野認為像現在構成文科講座的哲學、史學、文學三科的分類要停止，要分成日本學、支那學、印度學等，在支那學科中希望有讓他們專攻哲學、文學、史學的方式，但桑原在學生時代是讓東洋史學從東大漢文科獨立的當事人，他反對狩野的主張，就因他的話，教室的運作也順著桑原的構想繼承下來了。還曆的紀念論文集，呈給內藤（1926）和狩野（1928）的雖稱為《支那學論叢》，但昭和五年（1930）十二月七日紀念桑原還曆的論文集，和東大的白鳥一樣，同樣題作《東洋史論叢》，後來羽田亨的頌壽紀念冊《東洋史論叢》也繼承了這名字。順便要說的是，在有壓倒性多數東京帝大畢業生的教授會，據說內藤感到很無聊，介紹學生就業也委託桑原。

　　在呈現友人和學生執筆的還曆紀念論文集的當天，盛大的祝宴開張了，主人的贈禮之一通常是分配給客人的自印小冊子。在桑原有寫稿〈隋唐時代に支那に來往した西域人に就いて〉的《內藤博士還曆祝賀支那學論叢》出版時，有《華甲壽言》；同樣地，在桑原有寫稿〈支那の孝道殊に法律上より觀たる支那の孝道〉的《狩野教授還曆紀念支那學論叢》出版時，有《稊觴集》，同是線裝排印本分送給大家。從家藏的兩冊就可明白。但是，以桑原在京都大學年定退官的

---

[5]　《京都大學文學部五十年史》（京都市：京都大學文學部，1956 年）。

當日作為目的而編纂的大書《桑原博士還曆紀念東洋學論叢》[6]，因為呈獻儀式的祝賀沒有舉行，小冊子也沒有做。那是因為，桑原是昭和四年（1929）八月，在京都大學夏季講習會，連續講演「支那の古代法律」以後喀血，一直未離開病床，退官後不久的昭和六年（1931）五月二十四日，在京都の塔ノ段的自宅過世了。

　　桑原當帝大大學校生兩年，明治三十一年（1898）八月末，受聘母校第三高等學校教授，到京都就任，一年後轉任東京高等師範學院教授，在那邊大概任職十年。東京帝大文科大學創立時馬上被內定，由文部省派到清朝遊學。結束兩年的留學，於四十二年（1919）四月十四日回國，這之前五日，被任命為京大文科東洋史學第二講座擔任教授。史學科一開設即擔任講師的內藤，升格擔任第一講座，這是那一年九月的事，桑原擔任二十多年教授，退休後過世的昭和六年五月，自明治四十三年四月創刊以來持續二十一年的京都文學會機關刊物《藝文》出了停刊號，創刊時他是編纂主任，在創刊號寫過〈西安府的大秦景教流行碑〉，這刊物來不及刊載桑原的追悼錄，正好支那學社的《支那學》也是停刊。因還曆紀念的《東洋史論叢》出版不久，由知友來作追悼論文集並不必要。替代方案是，如果教科書不算，桑原生前出版的學術書籍也只有《宋末の提舉市舶西域人蒲壽庚の事蹟》[7]和《東洋說苑》[8]發動東洋史研究室，集錄桑原舊稿，企劃編輯成《東西交通史論叢》、《東洋文明史論叢》、《支那法制史論叢》三冊的論文集，由很多的門生作為編者而刊行，又加編了《考史遊記》。比桑原慢三年過世的內藤龐大的講義和遺稿是由長男乾吉和門生神田喜一郎（不是東洋史學而是支那史學的畢業生）長期的細心編

[6] 昭和五年十二月二十七日發行，市面經售是弘文堂書房，昭和六年一月一日發行。
[7] 《宋末の提舉市舶西域人蒲壽庚の事蹟》（上海市：東京攻究會，1923 年）。
[8] 《東洋說苑》（東京都：弘文堂，1927 年）。

集才出版，這點可讓我們相比較。

　　桑原遺文集第一冊《東西交通史論叢》，和還曆紀念論叢一樣，題字的是狩野，不僅著作年表沿襲自還曆論叢，連小傳也是從還曆論叢的序文摘錄而成。在這序文和小傳，特別要提出的有兩點，一是我國（日本）東洋史學由那珂、白鳥和桑原三人開拓，最晚輩的桑原的少作《中等東洋史》，不只在我（日本）邦學界很有名，由中國學者作為模範而翻譯仿撰，可說極一時之盛；二是在擔任京大教授的二十多年間，提拔學生成一時學風，他細緻研究中的《蒲壽庚の事蹟》是被頒授學士院賞的不朽名著，不僅由東洋文庫英譯刊行，即使在中國也有漢譯本。

　　文部省接受那珂通世的提議，承認中等學校新設東洋史科目是明治二十七年，讓「東洋史」之名確定的桑原《中等東洋史》是明治三十一年（一八九八）三月發行上卷，五月發行下卷。才虛歲二十九歲，又是年輕時的著作，在扉頁的右欄，有「^{高等師範學校教授}那珂通世校</sup>那珂通世校閱·^{大學院學生}桑原隲藏編著」。這年，羅振玉在上海設立東文學社，藤田豐八擔當清朝學生的教育工作。比桑原大一年的學長，是生平中好對手的藤田，馬上策畫《中等東洋史》的漢譯，翌年即光緒二十五年（1899）年底，題為《東洋史要》的書出版了。由羅振玉題簽，年輕的王國維（1877-1927）作序。新聞記者時代的內藤，這個時候恰好花三個月的時間在中國各地漫遊，在上海東文學社，和舊友藤田和田岡嶺雲相會，還有在同地會見文廷式，互相筆談。翌年即明治三十三年（1900）初，來日本的文廷式，想跟代表日本的東洋學者見面，被委託的內藤介紹那珂、白鳥、桑原三人，可說極適當的人選。五人相會是在二月十七日，文廷式用行書所寫曹植〈洛神賦〉，送給桑原的情形，在桑原武夫的〈湖南先生〉[9]和神田喜一郎運用文廷式《東遊

---

[9] 《桑原武夫集》（東京都：岩波書店，1980 年），第 1 卷。

日記》寫成的〈內藤湖南先生と文廷式〉[10]，都可見到。

在刊載桑原詳細訃報記事的《史林》第十六卷第三號、第四號中，也登載有關國史學三浦周行名譽教授（1871 年至 1931 年 9 月 6 日）同體裁的訃報記事。同是京大教授，兩人都傳授抓緊史料的實證研究學風，他們兩人的業績，由岩波書店版的《桑原隲藏全集》和三浦《法制史的研究》、《日本史的研究》來集大成，逝世後經過六十年的今天，讀者還想去精讀它們，可說是學術界的好事。桑原的大眾化代表作除《中國の孝道》（講談性學術文庫）之外，直到最近，由我編集和校正的《東洋文明史論》和《蒲壽庚事蹟》兩冊，收入以亞洲的古典普及為目標的平凡社的東洋文庫中。這三書的卷末都附有，只有高足宮崎市定才能寫的解說。

現在，依停留在京都的北京大學歷史系的劉俊文的說法，《日本學者研究中國史論著選譯》全十卷，正由北京中華書局企畫出版中，其中收集中國史通論的第一卷「通論」中，原來刊在白鳥還曆紀念論叢，而收在《東洋文明史論》的卷頭論文〈歷史上より觀たる南北支那〉和白鳥的〈支那古傳說の研究〉、內藤的〈概括的唐宋時代觀〉一起，由香港大學的黃約瑟譯為中文。這中華書局就是桑原的《蒲壽庚の事蹟》一出版，馬上由陳裕青翻譯，題為《蒲壽庚考》，加以刊行，是中國一流的出版社。

---

[10] 〈內藤湖南先生と文廷式〉，《圖書》（1979 年 8 月）。

主要著書‧評傳

1　《桑原隲藏全集》（全六卷）　岩波書店　一九六八年

2　《中等東洋史》（上下卷）　大日本圖書　一八九八年

3　《東洋史說苑》　弘文堂　一九二七年

4　《桑原博士還曆紀念東洋史論叢》　弘文堂　一九三一年

5　《東西交通史論叢》　弘文堂　一九三三年

6　《支那法制史論叢》　弘文堂　一九三五年

7　《考史遊記》　弘文堂　一九四二年

8　《中國の孝道》　講談社　一九七七年（學術文庫一六二）

9　《東洋文明史論》　平凡社　一九八八年（東洋文庫四八五）

10　《蒲壽庚の事蹟》　平凡社　一九八九年（東洋文庫五〇九）

十三

岡井慎吾

（1872-1945）

岡山大學名譽教授　福田襄之介

前言

　　要記述岡井慎吾的時候，首先，第一部是他成長過程和履歷的說明。關於履歷，是要記述他是福井縣立師範學校畢業，經歷四級學校的教壇（小學、中學、高等學校、大學），勤勉向學，把研究成果寫成書出版的過程。

　　他一發表學位論文《玉篇の研究》，馬上成為世人注目的焦點，有五、六個大學，要他開關於文字學的課程。

　　那將作為第二部關於他的業績來介紹。

　　即使有受到啟蒙之教的恩師，這文字學的第一位學者，幾乎完全是獨立自學。他在學問上緻密的考證可說令人刮目相看，也是採取東洋學近代科學方法的獨特的學者。晚年在各大學受他教誨的人，都是他的學說的繼承者。筆者的《中國字書史の研究》也受到岳父的學恩很多。

成長過程和履歷

　　關於岡井慎吾的傳記，福井大學名譽教授寺岡龍含博士所編輯，福井漢文學會發行的《漢文學》第四輯（昭和三十年，1955）和

第五輯（昭和三十一年，1956）中的「岡井慎吾博士傳記」特輯，有詳細的記載。根據這資料來寫他的成長過程。其中，加藤次兵衛氏[1]所執筆的〈岡井慎吾博士略傳〉，因整理得很好，就以它作參考。

岡井慎吾，號柿堂，明治五年（1872）五月二十九日（陰曆），生於福井縣丹生郡立待村下石田（現在的福井縣鯖江市石田下町）。翌年（1873），父親以二十七歲的年紀，因生面疔過世了。父親因愛好學問，遊學福井，明治四年（1871）在福井的「福城黌舍」足足學了兩年。幼名辰藏，後通稱慎三。名正臣，字君牙，號蕉堂。慎吾的好學來自父親的血統。

六歲時學習和讚和御文章，十二歲時手鈔《古訓古事記》，手鈔《王右丞詩集》，偉人的小孩從小就是不一樣。

明治二十二年（1889）十八歲，入學福井縣尋常師範學校，二十二歲時師範畢業，成為朝日小學校准訓導。

明治三十年（1897）被聘為福井中學校教員，大為高興，寫下了「春風吹到讀書樓，好趁黃鸝出谷幽」而去就任，但因從小學轉來，所以被輕蔑。

在明治三十一年（1898）參加文部省中等教員檢定考試（所謂文檢）的國語科、漢文科合格。漢文的考試官是那珂通世先生、服部宇之吉先生、狩野直喜先生三人。

明治三十二年（1899），在石川縣立第二中學任職時，請藤井乙男校閱，由金港堂出版了《新體日本文學史》。最近學問雖漸趨專門化，但這個時候是所謂國漢先生的時代，國文、漢文都兼通。岡井慎吾後來也專攻漢文學，特別是文字學，但很早就有這樣的日本文學著作。

明治三十八年（1905），廣島高等師範學校附屬中學創立，他同

---

[1]　當時福井縣立圖書館長。

時也被聘為該校的助教授。翌年八月，為了查詢與《韻鏡》相關的圖書，去拜訪了大阪府立圖書館、東寺、醍醐三寶院。

大正五年（1916），離開廣島，到朝鮮平壤中學就任。那年《漢字の形音義》由六合館出版。有到中國去的想法，翌年好不容易達成心願，以朝鮮總督學術考察團的團員到滿州，遊哈爾濱。大正十年（1921）被派出差中國，巡遊北京、洛陽、漢口、長沙、揚州、南京、上海、蘇州、青島、曲阜、泰山、八達嶺等地。

大正十一年（1922）被聘為熊本醫大預科教授。教課之外並沒雜務，又決心非在學問上留下業績不可。大正十三年（1924），《五經文字九經字樣箋正》完稿，自己謄寫，在中國上海印刷，由商務印書館出版。

昭和二年（1927），五十六歲的一月，終於寫完《玉篇の研究》，把它當作學位論文，向京都帝國大學提出。

昭和五年（1930）在熊本縣人吉町願成寺經庫，發現《正統破收義》，把它作謄寫版分給同好。

昭和五年，轉任舊制的第五等高等學校。

昭和六年七月，接到報告，先前提出的學位論文，已由京都大學教授會通過。八月，旅行向東京的三宅師（真軒）、秋田的日置師[2]、金澤的武藤師的靈前報告此事。九月，由京都帝大頒給學位證書。

昭和七年（1932），由九州帝國大學法文學部聘為講師。

「明治二十二年，向師範學校提出入學申請時，形式上是這樣寫著：『希望當小學教員』。經過近半個世紀，在帝國的最高學府服務，這樣的事有可能嗎？想走這條路的人，可以把它視為理所當然。但像我僅止於師範學校的學歷，而且一直在地方上工作，不論東京或京

---

[2]　勝驥，原福井師範國語、漢文教師。

都，連持續作過二個月的研究也沒有，我是既感激又擔心，我這老人的心潮也熱了起來。」[3]大概感激不盡是可以察知的。講課的題目是漢字論的關係，因此也深得學生的尊敬。

昭和八年（1933）為紀念任教四十年，彙集成《柿堂存稿》，昭和十年十一月自費出版。八年十二月，作為東洋文庫論叢的一種，博士論文《玉篇の研究》出版了。昭和九年（1934）六月，為《日本の儒教》一書寫〈日本儒教の一考察〉一文。昭和九年由明治書院發行《日本漢字學史》。昭和十年（1935）從第五高等學校退休。任教職滿四十二年。昭和十一年（1936），由東京文理科大學聘為講師。在《服部先生古稀祝賀紀念論文集》中刊載〈重修廣韻以前の廣韻〉。九月，在東京文理科大學講「漢字論」。昭和十二年（1937）在本學年中，由九州帝國大學法文學部聘為講師，擔任一學期「支那文學」的課程。昭和十三年（1938），自費出版《狩谷望之轉注說、釋文書後、六書古義》一書。昭和十四年（1939），由熊本搬家到東京都澀谷區千駄谷。昭和十五年（1940），由大東文化學院聘為講師。講「漢字」。被聘為東洋大學講師，每週講兩小時「漢字」。這時和大東文化學院學生數名，在自宅（東京千駄谷），成立稱為「賴卵會」的音韻研究會。昭和十六年（1941）在大東文化學院開始講「音韻學」。在《朝日新聞》社的《國語文化講座》，刊載「漢字の日本化」。由東京開成館發行《大學新講義》。昭和十七年（1942），由東京搬到以前在神奈川縣大磯町找到的別墅。昭和二十年（1945）二月十三日，因宿疾心臟弁膜症，在大磯的自宅過世，年七十四。

無論如何，一生作為堂堂正正的讀書人來度過，在過世之前，探訪恩師的墓，向他們報告獲得學位，拜訪有深交的朋友和有淵源的學校，和同事、門弟子敘說久別之情，經過漫長的五十年的辛苦，和

---

[3] 《柿堂存稿》，頁327。

妻子一起來迎接七十古稀之年，歷任過小學、中學、高等學校、大學
四級學校的教席，被授與最高學位，留給學界很多貴重的著作，才安
然往生的人。完全獨學而有那樣的成績，是值得特別提出來的。

業績

說到岡井慎吾對學界的貢獻，首先要提出的是學位論文出版的
《玉篇の研究》[4]。

在筆者家的《玉篇の研究》帶有特殊的意義。說到這事是筆者的
妻子名子嫁給筆者時，岳父岡井慎吾送給女兒的，附有如下的話。岳
父的真情流露，令人感動，所以特地在這裡記下來：

> 父親的學位論文，雖然是大正十四年春開始寫，翌年年底
> 完成，但不用說是把明治二十二年在福井縣尋常師範學校
> 學習以來一切所知的全部灌注在上面。又這書是把論文原
> 稿提出以後六年間，修改其內容，如凡例第一所說的那種
> 程度，現在把這書送給你，是希望你能了解，父親自明治
> 二十二年以來，四十四年間孜孜不懈地做這件事。父慎吾
> 記。時年六十二。

並蓋有昭和八年十二月二十八日皇太子殿下生日奉賀紀念的印
記。

《玉篇》這本書是承繼東漢許慎所撰《說文解字》而以部首排列
的字書，是梁・顧野王撰，有三十卷。唐代時由孫強增補，宋代時由
陳彭年重修而叫《大廣益會玉篇》，在元、明、清各代有各種版本刊

4　《玉篇の研究》（東京都：東洋文庫，昭和八年（1933）、昭和四十四年（1969）
　　再版）。

行。即使在本國（日本）也有五山版、慶長本、寬永本、慶安本、万治本、寬文本、元祿本、天保本等各種版本刊行。還有，以《玉篇》為藍本的《倭玉篇》也有出版多種。那《玉篇》的原本在中國很早就已亡佚，但在我國（日本）還有好幾個殘卷流傳。對這樣複雜情況的《玉篇》，作精密研究的，就是這《玉篇の研究》。

簡單說到這書的內容的話，首先這書分成前、後篇，前篇敘述《玉篇》的源流和變遷。後篇是蒐集古《玉篇》的佚文。前篇還有分正、續編。正編是敘述顧氏以及他的原本，續編是敘述宋本、元本以及《倭玉篇》。後篇又分內外編，內編集錄被認為可能是顧氏原本，外編集錄雖是宋以前的逸文，但不能馬上認定是顧氏的舊文。

《玉篇の研究》出版後，有關《玉篇》佚文研究的有：

○〈玉篇佚文補正〉　馬淵和夫編
　《東京文理科大學國語國文學會紀要》第三號　昭和二十七年
○〈令集解引玉篇佚文考〉　井上順理
　《鳥取大學教育學部研究報告（人文・社會科學）》第十一七卷
　昭和四十一年。

　研究《倭玉篇》的有：
○「倭玉篇」
　《研究並びに索引》　中田祝夫、北恭昭著　風間書房　昭和四十一年

《玉篇の研究》的內容，可以從這書前面的「緒言」看得很清楚。《玉篇の研究》一出版，有很大的回響。神田喜一郎博士在昭和九年（1934）五月《斯文》第十六卷第五號有題為〈《玉篇の研究》を讀みて〉的論文。這篇文章後來收入《典籍箚記》，在昭和二十二年由高桐書院出版。它的大要是：

　　在我國（日本）漢文學界，有字形派和字音派，前者如高田竹山
先生努力於字形的研究，後者是所謂音韻派，例如大島正健博士。但
岡井博士是字形、聲韻、訓詁，全部都精通，將三者的知識融合為一
體。這應該可以說是我國（日本）漢文學界相當獨特的存在。

　　而且，博士在書誌學方面的造詣也很深。這恐怕是受博士的老
師三宅真軒先生的影響。

　　博士的大作是《玉篇の研究》，這書應該說是讓博士學問的所有
長處，毫無遺憾的發揮的著作。顧野王的《玉篇》出版千數百年，其
間命運極為乖舛，要作調查極為不容易，博士如老吏斷獄那樣的明
敏，把它攤在白日之下，將宋本以前的佚文蒐集到二千條。

　　還有，明治末年，在京都帝大文科大學的機關雜誌《藝文》中，
有岡井博士所寫，有關清朝出版蔣伯斧所藏唐寫本《唐韻》的綿密考
證，神田博士讀過以後，說：「深深的佩服，近來博士的著作和論
文，大抵都讀過。」「特別地，像岡井氏的《漢字の形音義》，從高
等學校的學生時代，不知反覆讀了多少次。自己對中國的小學的基礎
知識，就是由這書培養出來的，對學界的恩惠實在不淺。」此外，也
有從各方來的讚揚之語，如：

　　　川瀨一馬　《倭玉篇》に關する二、三の新見──岡井博士の
　　　　　　　　《玉篇の研究》を讀みて──
　　　　　　　　《書誌學》第二卷第二號　昭和九年
　　　濱野知三郎　岡井博士《玉篇の研究》を読む
　　　　　　　　　《斯文》第十六篇第五號　昭和九年五月

還有，《日本漢字學史》是僅次於《玉篇の研究》的名著，關於這書
有如下的讚賞：

濱野知三郎　　《日本漢字學史》（書評）

　　　　　　　《斯文》第十六篇第十一號　昭和九年十一月

濱野知三郎　　《日本漢字文學史》讀む

　　　　　　　《東洋文化》第一二五號　昭和十年十一月

豐田　穰　　　《日本漢字學史》

　　　　　　　《漢學會雜誌》第一卷第三號　昭和十年四月

　　在本書的卷首說：「本書敘述有關漢字在歷史上發生的事，以及
我國（日本）產生的著作研究等，是為了究明我國（日本）文化的一
面而作。」對我國（日本）漢字、辭書、漢字，學者有多方面的敘述，
這種難得出現的書對學界的貢獻是很大的。

　　關於他的業績，還有很多想寫，但因篇幅的緣故，《福井漢文學》
第四輯第五十三頁有詳細記載，這裡就不說了。

主要著書・評傳

1　《漢字の形音義》　六合館　一九一六年

2　《五經文字九經字樣箋正》　上海商務印書館　一九二六年

3　《說文新附字考正合編》　六合編　一九二八年

4　《破收義　正續》　有七絕堂（自家）　一九三〇年

5　《玉篇の研究》　東洋文庫　一九三三年；一九六九年後刻本

6　《日本漢字學史》　明治書院　一九三四年

7　《柿堂存稿》　有七絕堂（自家）　一九三五年

8　《狩谷望之轉注說、釋文書後、六書古義》　有七絕堂（自家）
　　一九三八年

9　〈岡井慎吾傳記（一、二）〉　《漢文學》第四、五輯　福井漢文
　　學會一九五五、一九五六年

十四

津田左右吉

（1873-1961）

朝日新聞編輯委員　溝上　瑛

徹底合理的傳統主義者

近代日本最大的東洋學者是誰呢？「最大」的內容，依怎麼想而有不同的答案。目前，最單純的指標是以著作集、全集的規模來作比較的話，最明顯而突出的是津田左右吉。從他過世後第三年的一九六三年至一九六六年，前後四年，由岩波書店出版了《津田左右吉全集》全部三十三卷。更在二十年後的再版計畫補了兩卷，於一九八九年刊行，合計達到三十五卷。津田所師事的學習院、東大教授白鳥庫吉的全集是十卷，白鳥的對手京大教授內藤湖南的全集是十四卷，受到晚年的湖南薰陶的中國文學者吉川幸次郎的全集是二十八卷。不僅人文、社會科學，放眼整個學術界，出版這種規模的個人全集的例子是很少的。

但是，加入補卷的三十五卷中，著作的初版和改訂、改稿版雙方重複採錄的例子是很明顯的。論文、隨筆之外，日記和個人信件的份量也很多。因此，祇用全集的規模來和其他各家相比較，並不妥當。雖然如此，這麼龐大的全集既刊行又能重版，不得不說是很特殊的例子。那恐怕不僅止於學說，雖是傳統主義者，因有關《記》、《紀》的研究，侵害皇室尊嚴，被追訴，並被判有罪等，對於他人格的關心，是由於日本的知識人間有很強的傳承關係吧！

顯示人品的大量書信

　　公開發行的著作量有那麼多，很能了解作者學識、社會觀、經歷、生活樣式、交友等著者的各個面向。在《全集》補卷第一冊，因違反出版法受到監禁三個月緩刑二年判決的一九四二年（昭和十七年）夏天，從稱為「山小屋」的北輕井澤大學村別莊，寄回當時麴町的自宅的一連串書信都收錄在內。從信中他想盡力維持每天早晨吃吐司的習慣，是很清楚的。在北輕井澤所配給每週一斤程度的麵包根本不夠用，因此，從東京用火車送過來。「大東亞戰爭」進入第二年，糧食開始短缺是可理解的。更要了解的是在書信資料中津田吃西餐的習慣是更有趣味的，這和戰後，特別是電氣烤箱普及後，一般吃麵包的情形根本不相同。另外，在家時，每月一日、十五日和天皇誕辰，據說仍舊遵守著以紅豆飯來祝賀的老規矩。

　　津田的照片最感親切的是只穿外衣的和服姿態。不論年輕或晚年，都很相配。當然，也有穿西裝的照片，但在日常家庭生活中只穿外衣是很平常的時代，津田在這方面是完全像一般的日本人。住是怎麼樣呢？在全集（第二次）的月報，根據得意弟子原早大教授栗田直躬氏所寫的「思い出」，從大正初年一直到第二次大戰結束，疏散到岩手縣平泉，住了三十三年麴町的家，是在赤坂離宮之北。沿著紀尾井坂。佔用了交情很深、研究東洋史的東京大學教授池內宏家的一個角落，建在用石牆和填土造成的一個小平面上。門和類似庭園的地方都沒有。房間全部在四疊半榻榻米以下。雖很狹窄，但還考慮到每個家人有自己的房間。從書齋可見到伏見宮家和清水谷公園。整個附近很適合晨間散步。他的研究和著作，應用西洋式的史料批判技術，以日本的尊皇思想為基礎，我認為和這樣的衣食住與生活環境有相當的關係。

　　津田的論文裡，有人指出是對中國、朝鮮有歧視。並不是找麻煩，而是認真具體的批判。但是，在書信中，和朝鮮人的門生有很強信賴關係的也不少。我們並不能肯定他有民族性的歧視，但如果忽視那超越人與人間的信賴感，將會看錯津田的真正面貌。這樣，補卷中所收的大多數書信，可以修正以前對津田的看法，是有補足的意味在內。問到違反出版法，他也記下被搜查當局扣押的藏書，在十七年後，由檢察廳發還的事。津田不論在公開審判中，或在戰中、戰後的混亂期中，幾乎以不變的速度努力作研究和寫作的事，也可以從書信中看得很清楚。

可疑的戰後轉向說

　　到目前為止，試著研究津田的真正面貌而內容最充實的是家永三郎在一九七二年所著的《津田左右吉の思想史的研究》。家永氏作為思想史研究的後進，從戰前就很崇拜津田。但是，戰後隨著津田公開擁護皇室的言論流傳開來，也產生了疑問，作訪問直接討論，又書信往返，把津田著作的初版和改訂、改稿版作比較對照，努力確認津田思想的軌跡，戰後的研究方法和思想是和戰前的徹底合理主義不同。家永氏作了這樣的結論。作成結論的各種論稿和重新寫下來的論稿，合起來大約有六百頁，是精緻且具分析性的研究。

　　但是，坦白地說，這種嘗試我想並沒有成功。總結「戰後の津田の思想の變貌」是一篇很長的論文，附有戰前著作在戰後改寫成什麼樣子的對照表，筆者覺得越看對照表，越能很清楚地看出戰前和戰後的一貫性。我所以感覺不出相異點，因是戰後成長的一代，缺乏像家永氏一代深刻的戰時體驗也說不定，但即使接近家永氏的一代，承認津田氏的一貫性的人好像也不少。從《全集》補卷二冊所收的書信，對戰後思想性的曲折或轉向，產生的氣氛並沒有領會。對戰後社會作

評論的性質，雖像家永氏指出的是「政治閒談」，但戰前社會評論的
量是不能跟它相比的，從這方面來論證轉向的事，恐怕有困難。沒有
產生轉向，但看起來卻有轉向的話，那並不是被看到的那邊，而是看
的這邊有產生轉向吧！筆者不認為「轉向」是全部應批評的，比起硬
直的一貫性，我想柔軟的轉向是更健全。家永氏自己在舊著《一歷史
學者の步み》，很誠懇地表明了自己的經歷。關於津田的分析研究，
可以說那是續編或別卷，對津田的著作，採取家永氏的閱讀方法。

從支持「抹殺博士」出發

　　津田在東京專門學校政治科求學的一八九二年（明治二十五
年），和學友們一起創辦《青年文學》雜誌。這雜誌，在同年十一月
第十三號寫了時評〈史論の流行〉，涉及史官重野某[1]否定兒島高德、
弁慶等人的存在，受到「有害風教，進而傷國體尊嚴」的非難，他有
如下的聲明：「不舉反證、不作學術上的攻擊，而胡亂的嘲笑、謾
罵，是不知學問是什麼的沒理性的人」「因這樣的事情而搖動國體，
我們日本並沒有那麼弱」。這是他滿十九歲的時候，已體認到用實證
正確究明傳統的重要性。

　　重野是在昌平校和榎木武揚等一起學習的薩摩藩的鄉士。在開
明的藩主島津齋彬的影響下長大，和西鄉吉之助很親近。幕末是藩校
造士館，維新後是文部省擔任修史事業，和擔任帝大教授的德國人教
授里斯開設國史學科。是把清朝考證學和西洋實證主義結合的日本近
代實證史學的創始者。他認為歷史應該是公平的，究明由文藝和傳承
而來的粉飾、改竄，努力於史實的確定。但是，因新的實證史學排斥
國學者和神道家而招到很強的反彈。在最近電視的大河劇本，齋彬有

---

[1]　被稱為抹殺博士重野安繹。

教導吉之助「學習西洋技術，才能守護皇國」的場面。在重野方面，「西洋的技術」是德意志式的歷史學研究法，那是和對皇室的尊重完全不會矛盾的。

最早傳承里斯德國式的嚴密史料批判和客觀主義學風的學生，畢業後馬上受聘為學習院教授的白鳥庫吉，京都產業大學教授所功氏在《文藝春秋》一九九〇年二月號作這樣的介紹：「昭和天皇學習的特製教科書──不使用《皇紀》的白鳥庫吉博士編的《國史》」，大正初年以元帥東鄉平八郎為總裁，而兼東宮御學問所的主管人員，擔任全部教務的主任和歷史的教學。白鳥和重野一樣，並沒有感覺到西洋技術和日本尊皇思想間的矛盾。

在《青年文學》雜誌上支持重野論點的津田，在翌年以優等成績畢業於東京專門學校日語政治科，擔任富山縣高岡的東本願寺別院附屬教校教授，經重考生活而進入白鳥的門下。白鳥把從里斯受課的筆記借給津田，很親切地給予指導。津田從重野那邊間接地，又從白鳥那邊直接地繼承了皇室中心主義，戰後轉向的可能性，可說沒有。

和內藤湖南相反的位置

但從出身和經歷來說，津田比起重野和白鳥，和白鳥的對手內藤湖南的共通性更引人注目。老家是服侍尾張德川家臣的醫家，維新後歸農住在歧阜縣加茂郡栃井村（現在美濃加茂市下米田町），父親是在津田出生前半年開校的文明義校（後來的文明學校，現在是下米田小學）擔任教員。比津田大七歲的湖南，生於奧州南部藩支藩的儒家。維新後老家歸農。小學一開設，父親得到教職。他們兩位在就學前，因父親的指導而對漢籍有興趣。透過文明開化期的初等教育來接觸西洋文明。湖南畢業於秋田師範，擔任小學教員，經雜誌、新聞記者而就任京大教授。津田以東京專門學校（現在的早稻田大學）的校

外生，用講義自學後，編入同校政治科二年級，翌年以優等成績畢業
後，經中學教員，成為早稻田大學教授。兩人都沒有受過正規的大學
教育，經歷許多曲折才進入學者生活。

　　但是，湖南把日本當作東方的一份子，津田認為「並沒有稱為東
方的特別東西，日本是世界的一部」。對湖南來說，中國可說是家
人，中國研究是在觀察自己的事。對津田來說，中國是別人，是觀察
的對象。這個不同，當然連對日本的歷史和皇室的見解也不同。對湖
南來說，近代日本是保存中國文明傳統的國家；對津田來說，是直接
結合傳統和西洋文明，拋脫中國影響的國家。皇室的根源即使是神
話，對湖南來說，是和堯、舜、禹的中國神話相同的，如果不把它當
作史實研究對象的話，並沒有感到矛盾。對津田來說，神話的荒唐無
稽，作為滲入西洋文明的近代立憲君主制國家是相當嚴重的問題，去
究明西洋式合理主義也用得上的日本獨自的傳統，是切實的課題。

以美濃國學的風土為背景

　　這樣的不同，原因之一，可以由成為社會人的時期來解釋。湖
南秋田師範畢業是一八八五（明治十八年），津田專門學校畢業是一
九九一（明治二十四年）。這中間，八九年大日本帝國憲法公布。那
是被歌頌為「大日本帝國世萬事一系的天皇來統治」，這對湖南來說
是多樣性制定憲法議論中的一個結果，但對津田來說，並沒有選擇的
餘地，那是重壓在自己心裡的條文吧！

　　津田生長的美濃地方，在古代壬申之亂時，是大海人皇子所依
據的「東國」，在幕末也有賴山陽和平田篤胤的影響。尤其在山谷的
舊加茂、惠那兩郡，由於國學思想而徹底的排佛毀釋。美濃加茂市位
於這山間部的出入口，從市內的舊東山道太田宿沿著木曾川，再往
東，經苗木藩城下的中津川宿，到達島崎藤村的小說〈夜明け前〉的

舞臺信州馬籠。被設定為平田篤胤死後的門人的小說主人翁就是馬籠宿的地主青山半藏，可以從中津去跟他學習的少年登場這件事，顯示了這地方幕末的思想狀況。

從太田宿沿著飛驒川向西北的話，到達同是舊加茂郡內和支流白川的合流點。在此地工作於代代莊屋尾崎家幕末的家長，和青山半藏相同，都是篤胤過世後的門人。從小時候灌輸國學知識給幾乎與津田同時代的長男，可是，同時作為當時的基本教養，好像也獎勵學習漢籍，長男後來成為《臺灣日日新報》的漢文部主任。次男是尾崎秀實。秀實生於東京，長於臺北，作為共產主義者，一貫的反對帝國主義的戰爭，並沒有打倒天皇制的想法。寧可作為皇室和元老所期待的首相近衛文麿的智囊而行動。在他的反戰行動中占有重要位置，而獲得成功的，客觀來看，是阻止對皇室來說最危險的對蘇聯的戰爭。他的思想裡，很自然地繼承了來自父祖的美濃國學精神，即使這樣解釋，應該也不會太離題吧！

津田的老家是從尾張搬過來，但在名古屋藩維新之際的藩主雖是德川三家之一，但參加倒幕軍，曾有布陣於美濃太田宿的歷史。美濃尊皇的風土，對津田家來說，想來應該不會住得不舒服。父親在教書，他所就學的小學校，朝向文明開化的教育，它的校名就作了實際的表示。該校開校以前，這地方有很激烈的排佛毀釋的行動，似乎有把日本認為並非偶像崇拜的未開化之國，而來對付歐美列強的潛在意圖。文明學校是在排佛毀釋的過程中，以國民教化為目標的學校。把國學用西洋文明的技術來補強，一面具備日本獨自的傳統，又以歐美列強加入他們的行列作為目標。這樣來看問題，是可以成立的。

津田的思想和方法的一貫源流就在這裡，以後一直加以琢磨、鍛鍊，是可以這樣解釋的。

主要著書・評傳

1 《津田左右吉全集》（三十五巻） 岩波書店 一九六三至一九八
　 九年

2 《津田左右吉の思想史研究》 家永三郎著 岩波書店 一九七
　 二年

3 《人と思想・津田左右吉》 上田正昭編 三一書局 一九七四
　 年

4 《歴史家の同時代史的考察にっいて》 増淵龍夫著 岩波書店
　 　一九八三年

十五

新城新藏

（1873-1938）

京都大學名譽教授　藪內　清

　　新城新藏生於明治六年（1873），是會津若松造酒屋的六男。名字的由來並不清楚，但他的誕生就像做好新的倉庫那樣地高興也說不定。說到造酒屋是有錢人家，當時的風潮，在少年時代都有漢學的教養。十七年，進入福島所創立的中學校，同級同學有高山樗牛，晚五年在新城博士之後擔任京都帝大總長的小西重直。二十年，進入仙臺第二高等學校，和高山樗牛一同住外面生活，據說常常教數學不好的樗牛。後來擔任大藏大臣，被右翼恐怖份子所殺的井上準之助是慢他一年的後輩。此外，終生是好友的名人有很多。二十八年，東京帝大理科大學物理學科畢業，又完成二年間的大學院。三十年，成為陸軍砲工學校教授。正好這年九月，京都帝大開校，最初是理工大學，稍晚，法科大學、醫科大學、文科大學等單科大學成立。順便要說的，學部制的發布是從大正八年開始。三十三年六月，因擔任理工科大學物理學科助教授，而搬到京都。

　　博士在東京帝大畢業後，接受田中館愛橘、長岡半太郎等的指導，在日本各地進行重力和地磁氣的測定，這是當時物理學上重要的研究課題。這個工作後來由京都帝大的松山基範接手。在京都帝大講授力學，三十八年被派到德國留學，在哥丁根大學學習物理學，同時，在附屬天文臺修瓦魯西魯特手下進行天文學的研究。結束兩年的留學回國，同時成為理工科大學的教授。四十二年，他三十七歲時，

因總長的推薦，被授予理學博士學位。博士擴大研究範圍，由物理學研究進入天文學和中國天文學史的研究，就在這個時候。在天文學方面，對宇宙進化論特別有興趣，後來，出版單行本。我在昭和三年左右聽了他以宇宙進化論為中心的課程，當時的教授大多介紹很多別的學者的說法，但博士的課程是「我的看法是……」，雜有自己說法的獨特見解，給人留下很深的印象。博士把以太陽為首的一個個天體，在地球上是不可能發生的現象，當作巨大的實驗室。因此，物理學是天體終極性研究所必須。

一到大正七年，物理學科中新設宇宙物理學講座，由新城擔任教授，但不久由第二講座從物理學科獨立出來，變成宇宙物理學科。當時，東京師大有天文學科，但和博士作同樣研究的人並沒有，在京都作以物理學為基礎的天體研究所選的新學科名叫宇宙物理，是相當稀奇的，大概是在德國所使用的名字。現在一般稱為天體物理。這個暫時不談。從這時起，博士已是學術重鎮，出差海外，國內各種職務，讓他非常忙碌。這中間，昭和三年，進行花山天文臺的建設。但還等不及完成，昭和四年三月，已被選為京都帝大的總長。為了教育行政，非犧牲學問的研究不可。四年任期結束，昭和八年三月卸下總長職務。但從總長就任前，就被懇請擔任和創所有關而為外務省管轄的上海自然科學研究所所長，翌年即昭和九年十月答應，十年二月赴上海就任。已經超過六十的高齡——人生五十年的時代[1]——並不是很健康的博士，在困難的日中情況中苦心經營研究所，又祈求早日回復和平，但並沒有效果。

昭和十二年七月七日在華北發生的戰火，不久波及南京、上海。這年十二月十三日南京被攻陷。大家都知道，民國二十八年（1939）在南京創設中央研究院，預定作近代性的研究。從殷墟的挖掘，發現

---

[1] 譯者按：當時大家以為人生只有五十歲。

很多甲骨文，在殷代文化的研究有很大貢獻的歷史語言研究所也是其中的一個所。為了這些設施所收藏圖書資料的保存，博士不顧身體老邁，昭和十三年有數次到南京，在七月的酷熱中，去做學術標本類的保管視察和實地指導，但因妨害健康，住進南京同仁會醫院，八月一日早晨病逝。八月十日在上海自然科學研究所火化，十五日遺骨運回京都，安葬於相國寺。由一八七三年八月二十日誕生，至一九三八年八月一日過世，過了將近六十六歲的生命。這是愛好中國學問和文化的優秀科學家的壯烈殉職。談到這裡，一直沒有涉及博士的家庭生活，博士不抽菸、也不嗜酒，但喜好圍棋和將棋，特別是會津流派日本紙牌的高手。在正月聚集很多人，主辦紙牌會。又吟詠和歌，偶爾吟詠狂歌[2]之類來鬥趣。他所作有關日華提攜的和歌如下：

> 雖在戰火中
> 不久將攜手同行

這樣的願望落空，因日華事件而變成第二次大戰，實在是遺憾的事。

前述博士的履歷稍長了一點，現在來談他有關中國天文學史的研究。

本是物理學者的博士所以轉向中國天文學史的研究，是受狩野君山（直喜）和內藤湖南（虎次郎）的影響。狩野君山的傳，因在《しにか》一九九一年九月號，孫子直禎氏已有詳述，這裡就省略。京都帝大在明治三十九年創設文科大學，狩野博士也是文科大學創立委員，不久，擔任教授，實行中國哲學史和中國文學史有關的各種課程；同時，比他晚一點，同是教授的內藤先生一起在中國方面，把京都帝大的聲名提高，說是風靡天下，也不為過。狩野的學風是汲取清朝考證學的風格。以反對明代儒學之空疏而興起的清朝儒學，從文本

2　譯者按：指鄙俗滑稽的和歌。

的批判開始，嚴密地檢討經典的各個語義，重視以訓詁為中心的科學研究，後來，涉及經典中天文、地理、動植物、礦物等的研究檢討。文科大學成立後的京都帝大，教授數目很少，且幾乎都住在大學的附近，交往很密切。即作為總合大學的交流因而產生，清朝的考證學也影響到理學部的教授。

新城博士開始中國天文學史的研究，湯州秀樹的父親、地理學者小川琢治在中國歷史地理上也取得了優秀的業績。新城博士的代表作是《東洋天文學史研究》，從他的〈自序〉可以看到：「回顧我從事東洋天文學歷史的研究，是明治四十一、二年間，從狩野博士所提出的堯的年代問題開始。」當時的「東洋」，可說是中國的同義語。不用說〈堯典〉是《尚書》中的一篇，傳說中的聖天子堯的時代，可以由下列的天象觀測看出來。

日中星鳥，以殷仲春。日永星火，以正仲夏。
宵仲星虛，以殷仲秋。日短星昴，以正仲冬。

這大體來說，是說到春分、夏至、秋分、冬至二分二至的黃昏，鳥、火、虛、昴等星座出現在南中的事。從天文學的知識來看，例如限定二分二至的黃昏那樣的日時，那時，出現在南中的星座，由於歲差的影響，和時代一起變化。根據歲差，每年有什麼程度的變化是可以知道的。由現在逆算二分二至的黃昏，鳥、火、虛、昴等在南中出現的時代，堯的時代是什麼時候也可以知道。當然，這會有問題，要求精確的年數有困難。先生有關〈堯的年代〉的論文發表在大正二年號的《藝文》中，但看起來不十分自信，並沒有收錄在上述的《東洋天文學史研究》中。這可暫時不論。因狩野君山而進入中國天文學史研究的博士，後來的二十多年，可能受到狩野、內藤兩人的教

誨，他的成果收在昭和三年弘文堂所刊的《東洋天文學史研究》[3]中。即以下各篇。括弧內的年次，表示論文最初發表的時間。

第一篇　東洋天文學史大綱（大正十五年）
第二篇　周初の年代（昭和三年）
第三篇　二十八宿の傳來（昭和三年）
第四篇　春秋長歷（昭和三年）
第五篇　歲星の紀事によりて左傳國語の製作年代と干支紀年の發達とを論ず（大正七年）
第六篇　再び左傳國語の製作年代を論ず（大正九年）
第七篇　漢代に見元たる諸種の曆法を論ず（大正九年）
第八篇　戰國秦漢の曆法（昭和三年）
第九篇　干支五行說と顓頊說（大正十一年）

〈堯の年代〉和〈金文の研究〉等論文，沒有收入。

　　《東洋天文學史研究》取代狩野君山而有內藤湖南的序文。在序文中，舉出清朝經學比起以前的優點有五點，第五篇指出在曆算方面，輸入西洋的新知識。又江戶以來的日本經學，關於漢唐古義有極優秀的成果，但以新的天文學知識來做古典研究並沒受到注意。新城博士所注意的這點，是開啟以前未被注意的部門的研究。推崇新城博士是中國天文學史的開拓者。現在，簡單的敘述他的研究成果。

　　從收錄論文的題目來看，漢以前曆法的研究是中心，其中，以《左傳》、《國語》的製作年代之研究為重點。在中國，曆是國家的大典，很受重視，漢太初元年（104 B.C.）以後，政府頒布的曆法正史全部有著錄，曆法的數目多少大家都很清楚。博士努力說明這以前的

---

[3]　《東洋天文學史研究》（東京都：弘文堂，1989 年臨川書店翻印）。

曆法是什麼。中國從殷代以來施行太陰、太陽曆。這歷曆法因和日本的舊曆相同，一個月是由二十九日的小月和三十日的大月構成，普通是小月、大月交互排列，但有時大月持續兩個月排列，即不得不應用的連大法。又這種曆法一年十二個月的日數是三百五十五日左右，為了讓它合太陽曆而調整季節的差異，二年或三年非有一次閏月不可。如何安置閏月就是置閏法。中國的太陰太陽曆是逐漸改進置閏法和連大法而形成的曆法，博士仔細去檢討它的發展過程，從周初至太初元年，編纂日曆。太陰太陽曆在希臘也實行過。對於以置閏法為主的 Meton 法，在西曆前四三二年就很有名；以連大法為主的 Kallippos 法，在西曆前三三四年就很有名，在中國先於兩者數十年的曆法，是大家都很清楚的。新城博士主張中國天文學的獨自發達說。對於這種獨自發達說，當時學習院教授飯島忠夫提倡，中國曆法是亞歷山大大帝東征以後，受希臘影響而發達起來的所謂西方傳來說，飯島氏正面反對獨自發達說。博士在自序中說：「我祈求相反意見者的健在，同時情不自禁地盼望將來有一天能在山嶺上握手。」西方傳來說，今天幾乎已沒有學者相信。

另一對學界發生影響的是有關《左傳》成立年代的研究。《左傳》被列為儒教經典的一種，但自古以來這書被認為是前漢末年劉歆偽作。所以那樣說，是因劉歆在篡奪漢朝王位的王莽那邊作官，而受到惡評，偽作者之惡名很不容易消除。新城博士從記錄《左傳》歲星（木星）位置的研究，論證《左傳》（包含《國語》）的製作年代是戰國時代的西曆前三六五年至前三三〇年間的作品，而否定劉歆偽作說。但是，劉歆偽作說經歷很長時間，有很多學者支持，內藤湖南也很難拋棄偽作說，在他的序文對新城博士之說提出懷疑說：「敢以所疑相質，亦朋友講習之道而已。」但是，新城博士並沒有說《左傳》未經漢代以來的潤色，以歲星記事為中心的部分很忠實的轉達了該書是戰國時代傳承下來的作品，我想博士的結論到現在仍舊是正確無誤。

　　博士是真正的科學家、合理主義者。可以說是中國天文學史研究的副產物，是研究以曆註為中心的迷信記事的來歷，確認那些是沒有科學根據的妄說，大正十四年出版《迷信》一書。這書在昭和十四年由恆星社翻印出版。緒言中說：「想到世間大多數人沒有深入去調查迷信的內容，由因襲而模倣世俗，不想強力奮起而獨樹一格的人有很多。」作為實際問題，他說：「假設自己的女兒是丙午歲所生的話會怎麼樣？丙午的迷信作祟而影響到婚姻的話會怎麼樣？[4]迷信已不是遊戲，而是嚴肅的人生問題。」從博士是京都帝大總長，又是上海自然科學研所長的履歷來看，不單是關在象牙塔中的學者。是想要把學問的成果移作實踐的人。上海自然科學研究所刊行的《自然》雜誌，有博士的年譜，根據該譜，博士初到上海赴任是在昭和十年二月二十二日，由神戶出航的照國丸延期了一天，可以看出是：「此日是凶日，因有打破迷信之心志，自己留在船上」，一方面固執稚氣而讓人喜歡的博士形象也顯示出來。提到這些很俗的問題，但這本《迷信》，作為研究書相信是優秀的，即使在今天也是有用的書。

　　像在〈狩野直喜〉的傳記中看到的，昭和四年分別在東京和京都設立東方文化學院，這是外務省所設對支那文化事業部的工作。上海自然科學研究所同樣也是事業部的工作。京都的東方文化學院，狩野君山是所長，京都帝大的名譽教授和現任教授十多人擔任評議員來協助他的工作。很多是文科系的人，新城博士和小川博士等理學部出身的，也包括在裡面。由於這些人的推薦，成為所員的優秀年輕學者獲得了豐富的研究成果，新城博士推薦的得意弟子能田忠亮氏，為報答恩師的信賴，有《東洋天文學史論叢》傳世。東方文化學院變成東方文化研究所，又變成京都大學人文科學研究所。我也在這裡工作，才能從事中國天文學史的研究。

---

[4]　譯者按：當時人以為丙午年生的女孩會剋夫。

參考文獻

1　小西重直　〈科學の勇者新城博士の風貌〉　《文藝春秋》　昭和
　　十三年九月特別號

2　荒木俊馬　〈故新城新藏博士〉、〈新城所長年譜〉、〈新城所長著
　　作目錄〉、〈Shinzo　SHINJO, 1873-1938〉以上收入《荒木俊馬論
　　文集》　昭和五十四年

3　能田忠亮　〈新城新藏博士傳〉　《星の手帖》　一九七九年秋號

主要著書・評傳

1　《宇宙進化論》　丸善　一九一六年

2　《天文大觀》　岩波書店　一九一九年

3　《最近宇宙進化論十講》　龍谷大學出版部　一九二五年

4　《迷信》　興學會出版部　一九二五年

5　《天文學概觀》　興學會出版部　一九二六年

6　《宇宙大觀》　岩波書店　一九二七年

7　《東洋天文學史研究》　弘文堂　一九二八年

8　《こよみと天文》　弘文堂　一九二八年

十六

大谷光瑞

（1876-1948）

龍谷大學教授　上山大峻

開國進取的人

　　大谷光瑞（1876-1948）是西本願寺第二十一代宗主大谷光尊（明如上人）的長子，明治九年十二月二十七日生。一九〇三年，光尊過世，他繼承二十二代宗主，留下推行海外布教和宗門近代化的功績。但是，在作為本願寺宗主的經歷中，他最關心的是，一九〇二年至一九一四年，三次作為大谷探險隊實行者這一面。

　　從十九世紀末至二十世紀初，英國、德國、法國、俄國、瑞典等歐洲各國，派遣中亞細亞的探險隊。大谷探險隊也是很多個中的一個。但是，相對於他國的那些探險隊是國家或是博物館強力援助下而實行的，大谷探險隊則是大谷光瑞個人的事業。東洋的一個小國，且是一個宗教團體，為何在列強的行列中，說到中亞細亞探險，敢去做和身分不相應的大事業？是因為光瑞單純地對未知地域的好奇心吧！

　　在明治維新的激盪中，一直在幕藩體制中很安穩的佛教界，也被迫從舊的情況中逐漸變化。其中，對於隨著開國政策而進入的歐美人和他們的文明，佛教界備感威脅。一八七二年（明治五年），光尊馬上派遣梅上澤融、島地默雷到歐洲考察宗教事情，就是這個緣故。其中一個問題是，日英通商航海條約等的實施，歐美人可自由來日本，隨著那而進入的基督教，是不是危及佛教的將來呢？這點也引起

不安。基督教，從現在的例子來看，一定會開辦慈善事業，吸引人心去傳道。光尊於一九○一年設立「大日本慈善會」，就是為了對抗那個。那時的宗旨，光尊說：「但是，我們真宗行者，吾國的慈善事業讓他們一手掌握，連袖手旁觀也不能做，在這種況下，佛教的命運如何，真令人擔心……」當時的危機感是可以看得出來的。

　　佛教界所以緊張的另一件事是，十九世紀歐洲興起的東洋學，特別是從巴利語、梵語、西藏語的原典解讀，是新的佛教研究的動向。那是法國的 E. 比魯努夫的《巴利語試論》（1826）出版開始。接著，匈牙利人喬馬・德・開利斯，作為歐洲人，刊行第一本《西藏語辭典》（1834）。比魯努夫還研究梵語佛典，完成梵文《法華經》的法語翻譯（1839）。又作《印度佛教史序說》（1844）問世。一八八一年，利斯・帖比斯設立「巴利聖典協會」，開始活動。這樣以巴利語和梵語原典為基礎的佛教研究之興起，對僅根據漢文資料作研究的日本佛教學是不能不正視的事情。這新的研究再進一步的話，對於建築在漢文佛典上的佛教真理，很有可能動搖它的根據。

　　馬上感覺到原典研究的重要性的佛教界，在一八七六年（明治九年），東本願寺派遣南條文雄、笠原研壽兩位僧人到英國留學。笠原因生病回國，南條在當時牛津大學教授馬克斯・米拉門下繼續研究，合著出版《梵文無量壽經、阿彌陀經》。西本願寺也於一八九○至一八九七年送高楠順次郎到倫敦，在馬克斯・米拉門下學習梵語。

　　光尊卓越的時代感，對應著前面的時代變革。光瑞也繼承這點，不是封閉保守，而是積極學習新的動向，選取應採用的方向。和光瑞最親近的德富蘇峰，在所作的《大谷光瑞的生涯》（1956）中，論斷光瑞是「開國進取」的明治精神化身。

　　光尊雖然英邁但是病弱。一九○○年，他託付宗門的將來，派遣光瑞赴歐洲，那是光瑞二十四歲的時候。這時出國的目的是視察外國宗教的事情，特別是社會福利事情的調查。他留歐的兩年半間，精

力充沛的到各地考察，拜訪結交西魯杭・列比、瑟傍努、米道魯等學者。

探險隊的實施

滯留歐洲期間，比什麼都更能刺激光瑞的是中亞細亞的探險報告。S・久利安法語譯介（1858）《大唐西域記》的世界，一八九三至一八九七年由於S・赫丁到中亞細亞西域南道對各種遺跡的調查，成了實證現實的世界。一八九八年赫丁在巴黎地理學會講演他的成果，著有《橫斷亞細亞》（1893-1897）二卷，那是輝煌成果的報告。被打開的中亞細亞的地域，的確是佛教東漸的路。當光瑞知道遺留下來的廢墟幾乎都是佛教的遺跡時，他是多麼的驚奇感動啊！那是佛教徒應該做的事，好歹非做不可的事。從前擔心西歐向東洋進出，有日本應該是東洋盟主這種想法的年輕的光瑞，有不能落伍的氣概在沸騰著，他所以組織探險隊的經過，是不難想像的。

大谷探險隊的資料集《西域考古圖譜》（1915）的序，光瑞敘述他的動機如下：

> 明治三十五年八月，予恰好在英國倫敦，正好想回到故國，倒不如利用歸國途中，完成平生願望，遂決意參訪西域的聖蹟。另外，派人參訪新疆內地。

光瑞從倫敦的歸途，隨行陪伴的有本田惠隆、井上弘圓，經撒馬爾罕（Samarkand）科坎多、喀什噶爾（Kashgar），取南下出印度的旅程，用自己的腳來踏中亞細亞的土地。另外，同行到喀什噶爾的堀賢雄、渡邊哲信，讓他們採取通過寶丹、庫車、吐魯番，而出西安的航線。這是第一次大谷探險隊（1902-1904）。

到達印度時，得報知父親光尊過世（1903）。急忙歸國，光瑞繼

承本願寺第二十二代宗主（鏡如上人）。

　　派遣探險隊，第二次、第三次繼續著。第二次是橘瑞超、野村榮三郎，探險樓蘭、吐魯番、庫車等（1908-1909）。第三次是橘瑞超、吉川小一郎，探險敦煌、吐魯番、庫車等（1910-1914）。

　　還有，光瑞也關心西藏，派遣多田等觀（1912-1924年在藏）、青木文教（1912-1916在藏）的事也不可忘記。

　　關於三次探險隊的成果，光瑞同樣在《西域考古圖譜》的序裡，自我評價說：「這前後三回的踏查和發掘的結果來看，不能說完全滿足我當初的期待，但就所獲得的資料來說，可說相當不少。」

　　但是，對大谷探險隊不僅僅是禮贊。首先，大谷探險隊缺乏考古知識，發掘和發掘品的處理也欠慎重。想想，當時在日本的考古學教室還沒有，京都大學考古學研究是成立於一九一六年（大正五年）的事。在那時，要求十全十美未免過於苛刻。但是，大谷探險隊也有他們自己的準備方式。

　　例如，在第二、三次探險很活躍的橘瑞超，在倫敦時，數次和探險家 A. 史坦因見面請教，剛好夫人籌子同行而停留在倫敦（1910）的光瑞，一起整理裝備。

　　還有，最近在龍谷大學圖書館見到探險隊採取的草花標本。當時，植物學權威京都大學名譽教授北村四郎感嘆的說，日本人做那樣的事會令人感到驚異，但是那事情是光瑞給探險隊的探險隊員實行指令書《旅行教範》第二八七項「動植物和其標本儘可能採取」，這《旅行教範》是光瑞給探險隊員所持的探險實行指令書，溫度的記錄、渡河的方法等極為周到。

　　還有，大谷探險隊沒有作間諜的活動嗎？有人持這樣的懷疑。日俄戰爭（1904）前後，因踏查中亞細亞而遭到那樣的懷疑是免不了的。但是，同樣地，《旅行教範》的三〇六項有提到這種顧慮說：「政治和軍事僅作大略的調查，讓其他專門的人來做。這方面相關知識沒

有十分把握而做調查時,因地方警察機關的猜疑而招來不測的災禍。」

　　儘管大谷探險隊可說是臨陣磨槍的門外漢,但是,隊員鑑定東西的眼力和感性是一流的,國立文化財研究所的上野アキ氏對探險隊採集的壁畫等美術資料品質之高有很好的評價。在吐魯番發掘墓地,大谷探險隊是第一次。從那得到的陪葬品和古文書,是作為研究古代西域、中國文化,以及社會經濟的資料而復活過來。

毀譽褒貶

　　但是,光瑞在第三次探險隊派遣的途中辭去了門主。二樂莊的建築和武庫中學的營運等大膽事業的開銷,因浪費而開始受到批評,又用掉本願寺本部兩個財團的基金的事被揭發出來,以及從宮內省當局而來的勸告,光瑞所負的責任是本願寺派的法主職,因此,放棄了伯爵的地位。這是一九一四年(大正三年)光瑞三十八歲時候的事。

　　探險隊的事當然也成了非難對象。但是,根據吉川的說法,本願寺的經濟破綻是派遣從軍布教師的開銷等別的地方,探險隊本身可說是儉樸的。例如,吉川說,第三次探險隊所配備的照相乾板是十打,但是那時史坦因有二萬枚(一六六六打)的裝備。比較實際狀況應該可以了解吧!

　　和他的失敗一起來的,光瑞所作的事情,在社會上,特別是宗門內受到白眼看待。光瑞自身對探險隊的熱心消失了,發掘回來的物品也從他身邊離開了。

　　光瑞踏尋了全部的佛跡,作為一個教團雖然做了未曾有的西域探險的成果,但德富蘇峰感慨地說:「看不到任何人對他的偉大的功勞表示感謝。」但是,光瑞自己也要負點責任,下面指摘的事也不能忘記。

> 他為了這，比世間承受更多的非難，又他自己踏著不少充
> 滿荊棘的道路。……
> 從另一方面來看，他那旁若無人的言語和行動，不知自我
> 裁量，因為那個，也可以說遭到自作自受的結果。

光瑞的後半生結成光壽會（1919），進行講談和研究活動。據說企畫了很多事業，但他的親弟弟光明說：「未能達到有終之美的事很多，就那個來說，長兄是不幸福的，也不能說是成功者。」昭和二十三年（1948）十月五日在別府鐵輪的別墅過世，享年七十二歲。

佛教者大谷光瑞

光瑞一直到十六歲左右在學習院學習，為了充當經常生病的光尊的代理工作，輟學了。以後沒有再接受學校教育。但是，知識欲旺盛，據說也瀏覽外國的雜誌等。其中，中國史好像最有趣味。德富蘇峰評論說：「他本來就是學者」。和很多的外國學者交流。一九〇八年，因東京地理學會的邀請來日本的赫丁，光瑞邀請至本願寺，而有很深的交情。還有，一九一一年中國發動辛亥革命，羅振玉逃到京都時也給他援助。他是很特別的國際人，異例的學者。

光瑞對新的東西比別人加倍有興趣，也不僅是好事家，更不是西洋崇拜者。他的行動的基礎，是作為本願寺門主有興隆佛教的願望，這點是不能忽略的。對應著西歐合理思考方法流入的時代，他看準了無論如何佛教的真實性是要被實證主義證實的。派遣探險隊勘查佛教東漸之路的事，後半生組織光壽會，讓學者從事梵文《無量壽經》的研究，都是他那種理念的一環。

日本西域學的起點

　　光瑞把大谷探險隊帶回的東西，由內藤湖南開始，讓榊亮三郎、羽田亨、濱田耕作、松本文三郎作研究。後來，成為西域學權威的羽田亨，那時還是大學院的學生。在日本隨著胡語研究和敦煌古寫本研究而來的西域學的萌芽，可以在這裡看得出來。羅振玉亡命日本（1911）時，所帶來的龐大資料，點燃了京都學派的西域學、敦煌學之火。但是，光瑞失敗了。一九一四年，突然地，將研究者與大谷的收集品分開來，他的熱心一時中斷。那以後，陸續去看伯希和史坦因帶到外國的東西也成了主流。

　　大谷的資料再度受到注意的是，恰巧本願寺所藏、由它們保管的二箱西域資料被發現。一九五三年，為了研究那些資料，在龍谷大學組織西域文化研究會，研究成果是刊行了《西域文化研究》六卷。一直到那時，光瑞的業績，還有從事探險隊的人們，可說成了埋沒的存在。

　　今日，對西域研究的視線變得很熱門。那也被認為對東洋學、佛教學研究不可欠缺的事。九十年前，光瑞所著眼和實行的，真正目的如何，是可以被確定的事。

主要著書・評傳

1 《西域考古圖譜》（上、下卷）　香川默識編，大谷光瑞序　國華
　社刊　一九一五年；柏林社再刊 一九七二年

2 《新西域記》（上、下卷）　上原芳太郎編　有光社刊　一九三七
　年；井草出版復刻　一九八四年

3 〈大谷光瑞の生涯〉　《大谷光瑞紀念會刊》　一九五六年（收錄
　大谷光明〈長兄光瑞〉、德富蘇峰〈史傳、大谷光瑞〉）

4 《大谷光瑞》　杉森久英著　中央公論社刊　一九七五年；中央
　公論社再刊　一九七七年

5 （復刻《新西域記》別冊）《解題》　山田信夫著　井草出版刊
　一九八四年

6 （同上）《解題》（附載大谷探險隊中央アジア關係文獻目錄）
　片山章雄編　井草出版刊　一九八四年

十七
鈴木虎雄
（1878-1963）

京都大學文學部教授　興膳　宏

　　鈴木虎雄（1878-1963）是從明治以前所保持長時期的漢文學傳統，以中國文學之名，在我國（日本）文化史上完成轉化時期的第一個重要人物。稱呼他的號豹軒的很多。

　　鈴木是明治十一年一月十八日，生於新潟縣西蒲原郡栗生津村（現在的吉田町），名虎雄是因生於寅年的關係。祖父文臺是和良寬交遊的漢學者。在那裡開設私塾長善館，父親又繼承了那個館。鈴木當然從幼時在這私塾接受漢學的輔導。當我們看到鈴木後來學問的強固根底時，這時期的培養教育有很大的關係。

　　十幾歲時搬到東京，從東京府尋常中學校（後來的府立一中），進入一高、東京帝大。大學時學漢文科。畢業後，在陸羯南的日本新聞社和臺灣日日新報社工作，經東京師範學校教授的介紹，一九〇九年（明治四十二年），在創設後不久的京都帝國大學文科大學（後來的京都大學文學部）擔任助教授。強拉著鈴木到京都的是文科大學的創設委員，支那哲學、文學講座的主任教授狩野直喜。對於東大的漢學科當時還兼修哲學、史學、文學，在京大這三個專攻是分別獨立設置。拋脫漢學的束縛，為了要讓文學作為獨立存在來研究，這個條件必然是有利的作用。在那一直以儒學為中心的漢學傳統中，文學研究說是占一個小角落的位置也不會太過分吧！

　　注意鈴木長期的研究生活，給人印象深刻的是把中國士大夫文

學中心的詩文作為沈潛研究的對象，不為時世的流行所左右。用穩重的步伐繼續走正統之道，一面從古老的漢學蛻化，又嚴守儒家的精神。他是有這種意志的人。

細數鈴木的研究業績中，最著名的恐怕是杜詩的譯注。作為「詩聖」而長期景仰的唐詩人杜甫，現存的詩達到一千四百首，每一個字的密度都極為深厚，他的內容離今有一千兩百多年，對現代人來說是很不容易接近的。杜詩的譯注、研究，近來我國（日本）也不少，但是對全部作品加以注解的僅有一種，即是一九三一年刊行，花費四年而完成的鈴木的《杜少陵詩集》四冊（《續國譯漢文大成》）。

和這可以相比的研究業績是由 Ervin von Zach 用德語的全譯（一九五二年刊），但就注釋的詳密這一點來說，不及鈴木的譯本。鈴木的弟子吉川幸次郎，在他的晚年為他的《杜甫詩注》全二十卷的偉大事業開始工作，作了比他老師還要詳細的注解，可惜因著者過世而沒有完成。現在流傳的岩波文庫本《杜詩》八冊，是把鈴木全譯的一部，為適應現代人改寫而成的書。

說到用獨力完成杜詩全譯注的大事業，而且僅用四年的短時間完成，是十分令人驚異的，但鈴木虎雄八十五歲的生涯中，出版的中國古典詩的譯注，在這之外還有很多，依刊行之年編排，把它羅列出來，有如下幾種：

一、白樂天詩解　一九二七年。中唐詩人白居易詩的選釋，弘文堂刊。

二、禹域戰亂詩解　一九四五年。從《詩經》到清末，描述戰亂的詩的譯注。一九六八年，改題為《中國戰亂詩》，收入筑摩叢書。

三、陶淵明詩解　一九四八年。六朝詩人陶淵明詩的全釋。弘文堂刊。現在收入平凡社東洋文庫中。

四、陸放翁詩解　上中下　後來分上下二卷，一九五〇至一九五四年。南宋詩人陸游詩的選釋。弘文堂刊。

　　五、玉臺新詠集　上中下　一九五三至一九五六年。六朝梁所編豔詩選集《玉臺新詠》的全釋。岩波文庫。

　　六、李長吉歌詩集　上下　一九六一年。中唐特異詩人李賀詩的全釋。岩波文庫。

　　鈴木的翻譯事業，首先從量的豐富壓倒別人，且在縝密的考證之上作正確的譯注，雖然用的是較不好接近的古風文體，在他沒後近三十年的今天，它的光輝還沒有消失。

　　鈴木是一九三八年（昭和十三年）一月三十一日，在滿六十歲的生日，從任職二十九年的京都大學文學部屆齡退休。前面提到的大部分的翻譯工作，除白居易和杜甫之外，全部是退休後的工作。而且，所看到的是已超過七十歲、進入老境的戰後所作的工作較多。在《陸放翁詩解》的序言，鈴木學習外國文學的漢詩文，是希望透過那個，擷取本國文學所沒有的長處，是為了「激發好的日本文學」，他提出自己的主張說。提倡廢止漢字論是戰後一時期的事，旺盛翻譯工作的進展，是對那種風潮的反彈，同時是鈴木的實踐性的回答吧！同書的序又說：

> 為了吸取世界的知識，漢字、洋語，什麼都應該採用。因為是外國的東西而加以排斥，可說是器量狹小。我可能的話，要將所有大陸的文豪向我國（日本）介紹，但力量不夠，僅找機會提供一兩個。這回先選陸放翁。

這是多麼激烈的七十歲老翁的熱情啊！有關中國詩文，鈴木的著作在作敘述時，大體平淡如水，極力抑制個人的情感。更何況感觸時事而激發慷慨，幾乎沒有那種例子。前引的話，就這意思來說，應該是稀有的例外吧！但是，發揮中國古典詩翻譯事業的壓倒性的活力，很意外地，是由發洩憂世的熱情來支撐的。

　　那是沉靜的持續的活力。師事鈴木的弟子誰都說到，他作為學

者的生涯常常是只顧貫徹誠實性，並沒有那微末的欺騙的感覺。他永遠喜好的三個詩人，陶淵明、杜甫、陸游，讓我們想到全部可說是一貫誠實的愚直的人，實在很有趣味的事。那誠實性是和自律很嚴、很自然地有不可分的關係。退隱以後，他回想以前京都大學的課堂說：「譬如劍道老師，拿竹刀立著，精神上的準備應不亞於以真劍白刃分勝負，進入殺或被殺的境地。」[1]作為大學教師，對於這些話，肅然正襟的，當不止我一個。

他的兒子鈴木泰平氏，描述父親的形象是，彷彿日日在鑽研的樣子。

> 父親在京都大學任職時，我們常常搬家。但是，即使好幾次搬家，父親的書齋書籍堆積如山，好不容易在桌子前看到座墊的樣子。……每天晚飯後，看完新聞，父親進入書齋。然後，九時或九時半左右，出來客廳，大約一小時的團圓過後，再回到書齋，到凌晨一時、二時才就寢也是很平常的。比起我們孩子只有考試時在開夜車用功，父親是三百六十五日，且是十年來一直持續的習慣。我想那是真驚人的努力！（鈴木泰平〈追憶父親〉，《陸放翁詩解》新裝版上卷）

和以前不同，國立大學薪資的水準已提高。但鈴木仍舊租房子住，七十七歲生日時搬到兒子家為止，最後生涯所謂自己的家是沒有的，恐怕每月收入的相當部分是用來買漢籍。那些質量都豐富的藏書，後來大部分移交京都大學文學部管理，以「鈴木文庫」之名供研究者利用。鈴木過世後，筆者參與他的藏書的整理，同一版本的漢籍

---

[1] 〈在職當時の追想〉，《京都大學文學部五十年史》（京都市：京都大學文學部，1956 年）。

可見到二種或三種，推測複本藏書量很多的原因，可能找書時不好找到，同一書還再買吧！用「清貧」來稱呼他最適合。從鈴木的生活方式可以看出一時代學者的典型。

詩的譯注之外，鈴木著作的另一系列是《支那詩論史》（1925）、《賦史大要》（1936）、《駢文史序說》（1961）等理論的研究書。《支那詩論史》是中國詩學發展通論性考察的書，這種著述即包含中國在內，也是最先驅的業績。也有中國語的翻譯，即使現在來讀，也是受益良多。和詩並行構成韻文文學的賦的歷史而關係親密的是《賦史大要》，在這領域僅有的綿密的業績，即使經過五十年以上的現在，也是很少見的例子。和賦有相近關係的駢文（也叫四六的無韻文體），作為鈴木長期研究對象的領域，《駢文史序說》是在大學講義的一部，由門人整理而成的，大體上賦和駢文形式上長而繁雜，因內容比詩難以理解，是研究者時常敬而遠之的體裁，但對於那個，鈴木道地的研究實有磐石那麼重的份量。

由於在中國文學研究有這些貢獻，鈴木在一九三九年（昭和十四年）被推舉為學士院會員，接著在一九五八年（昭和三十三年）接受文化功勞者，一九六一年（昭和三十六年）接受文化勳章的榮譽。作為學者實在是功成名就，想是十分滿足的生涯。

鈴木在這些之外的另一個，是作為漢詩人的工作有必要特別提出來。他到晚年沒有怠倦的事，幾乎是寫日記那樣的來寫詩，全部作品約超過一萬首。他景仰的宋人陸游，自云：「六十年間萬首詩」，以作品多出名。鈴木在詩的創作，還是走陸放翁的路。他開始漢詩的創作是在鄉里私塾的少年期的事，京都大學為紀念他的退官所編的《豹軒詩鈔》十四卷（1938）的開頭，有十歲時的作品數首擺在那裡。在《詩鈔》中，收了一千五百首的作品，但他的詩稿據說三千餘首。第二詩集《豹軒退休集》十七卷（1956），收大學退官以後的晚年詩篇七千篇以上。像陸放翁那樣地，鈴木的創作欲望過六十歲以後更加

的旺盛。

　　有一次翻閱這些詩集，從鈴木有關中國文學的專著所想像的人格，一面是帶有他的具體性內容，另一面是完全不同的面貌呈現在我們面前。前述的一面是，不論何事，以純粹謹直，終其一生持續追求道的儒者風貌。讀者對他的印象是可以透過每日生活中的詩作來確認。相反地，另一面是，先前所指出的鈴木著述態度，儘可能違背那淡淡的敘述，對著時局的激越心情的波動，寧可大膽的吐露出來。例如，敗戰第二年的二月二十八日，有題為〈大根〉的七言絕句。

　　　　大根一本價三圓，離菜菘蔥幾百錢；
　　　　中產市民空苦叫，官僚農民益恬然。

在敗戰後體驗到糧食短缺的人，這詩中所抒發的憤怒是可以理解的。同年三月十五日的七絕〈禽獸〉，對世風敗壞的憤怒更加的激烈。

　　　　士子崩奔中產危，國家失信綱維亂；
　　　　濁風污俗逐禽獸，奸賈狡農跋扈時。

主張自由，對流於放逸的戰後風潮提出規戒的詩也有。（〈自由〉，一九四七年一月三十日）

　　　　自由自由互衝突，衝突何處得自由；
　　　　真個自由制約多，制約多處始自由。

諷刺一面標榜民主主義，一面依然大模大樣的使用「大臣」這種用語的矛盾性的〈大臣〉一詩（同年十二月十一日），現在看來仍然是一種正論，是擁有純粹精神的人可以說出來的話。那樣說的話，曾自稱「臣某」而引起物議的首相，也可以把這事聯繫起來思考。

　　　　民主為邦權在民，豈疇昔君同事人；

稱呼不改堪噴飯，臺省官民有大臣。

此外，穀物的遲配、欠配，連夜令人懊惱的停電，戰後風俗的頹廢等，永遠是鈴木感慨不盡的對象。先前說到鈴木詩給人印象的兩面。但，事實上這兩面最終祇是一個而已。鈴木是擁有純粹精神的儒者的話，對不合正道的世事，會像杜甫和陸游那樣地，透過詩作來表達激憤。當然，時世批判的詩並不是全部，描述日常生活中微細場面的詩所占的份量最多。在旅行之地的詩很多，可讓人看出喜好旅行的一面，對出嫁女兒表示惦念之心的詩，顯示身為人父的深刻情愛。鈴木詩的世界裡，是隱藏著如此多樣且無盡的魅力。杜甫的詩有稱為「詩史」的話，鈴木的詩所呈現也應可以這樣說。附帶一提的是，鈴木《退休集》以後的詩，還有數千首，是以未定稿原原本本的遺留著。

曾和正岡子規有交往的鈴木也擅長和歌，有歌集《藥房主人歌草》（1956）。

主要著書‧評傳

1 《支那詩論史》 弘文堂 一九二五年

2 《賦史大要》 富山房 一九三六年

3 《支那文學研究》 弘文堂 一九二五年

4 《杜詩》（一～八） 岩波文庫 一九六三～一九六六年

5 《玉臺新詠集》 岩波文庫 一九五三～一九五六年

十八

加藤　繁

（1880-1946）

京都大學教授　梅原　郁

　　加藤繁（1880-1946）和先前本誌[1]所提到的內藤湖南和白鳥庫吉等人相比，在社會上並不是很知名的中國史學者。他從昭和二年到昭和十六年，即日本向中國作階段性進行侵略，終於爆發第二次世界大戰的前夜，在日本研究中國的根據地東京大學講授東洋史，在學問上，他是承擔中國經濟史開拓者的榮譽的大學問家。戰後不久的昭和二十一年，以六十六之年過世的加藤，去年很可惜去世的高足，前東洋文庫長榎一雄所寫情感洋溢的詳細傳記，收入加藤遺稿《中國經濟史的開拓》（昭和二十三年）的卷末。還有，對加藤學問作批評的《歷史學研究》雜誌二〇七期（昭和三十七年）有旗田巍一文。一方面根據這些，和我個人的專門研究關係特別深的加藤的學問，和我自己的想法一起聯繫起來看看。

　　加藤是明治十三年九月三日，生於島根縣松山市，是士族內田氏的四男。但翌年，成了同是舊松江藩士的加藤的養子。他度過少年時代的松江市奧谷，和小泉八雲的舊宅很接近，是有名的寺和社圍繞的閑靜場所。生家的文藝資質，養父母嚴格，但充滿慈愛的教育，而且優秀教師很多的島根縣地一中學[2]的環境相加起來，使他養成了傑出人物所懷抱的青雲之志。這喜好歷史的少年，在日清戰爭後達到高

---

[1]　譯者按：指《しにか》月刊。
[2]　後來的松江中學。

潮的氛圍中，山路愛山和德富蘇峰的文章讓他熱血沸騰，不久，受到特別強調「志願中國研究，才是日本人真正的本分」的三宅雪嶺的《真善美日本人》一書的刺激，作為中國史學者，且是新領域開拓者的心情也更堅定。

中學畢業，明治三十四年上東京的加藤，在國民英學會學語學，翌年九月，入東京帝國大學支那學科[3]當選科生。所以選得不到學士學位的捷徑選科，據說是家計上的理由。在上京之前，明治三十三年四月，他二十一歲時結婚，單身上京努力作學問。東京大學入學以後，當時擔任講師的是研究日本經濟史的內田銀藏，提出論文剛得到學位。那主題是土地制度和金銀兩方面，這可說給加藤的進路有決定性的影響。加藤最初的單行本《支那古田制的研究》和那頗具份量的《唐宋時代的金銀研究》，這兩種書和內田的題目相同，並不是偶然的吧！還有在東京帝大時的老師，有那珂世通、市村瓚次郎、白鳥庫吉，由於他們，加藤作為東洋史學者的基礎也形成了。

明治三十九年七月，東大畢業的加藤，經一年多的翌年十一月，因擔任臨時臺灣舊慣調查會的事務委託人員，而搬到京都。日清戰爭後，新設的臺灣總督府，為了作有效的支配，以創設不久的京都帝大法科大學的岡松參太郎為中心，設立臺灣舊慣調查會，由明治三十三年至四十年，請他作《臺灣私法》的大型報告。推動者後藤新平進而追溯到中國法制的根本研究，有意對清代法制作全體的解釋，說服同是京都帝大的行政法學者織田萬參加這工作。織田以狩野直喜為助手，加上淺井虎夫、東川德治，就開始工作，最後也請加藤加入。這個經過，加藤有如下的說法：

> 我很羨慕同學淺井君在京都的臺灣調查會工作，畢業後，

---

[3] 畢業時改為支那史學科。

拜託同鄉的前輩梅先生向織田先生推薦，但目前不需要用
人，自己就在東京的某個大學就職。翌年的十一月，梅先
生叫我來，說是織田先生來信請我過去，我馬上就答應
了。

梅先生大概是被稱為明治法學界巨星的梅謙次郎。梅先生不單是加藤
的同鄉，和他母親那邊堂姊夫的先生也有關係。去東京，上學時代的
加藤，受到梅的照顧也是當然的。不管如何，從明治四十年秋一直到
大正初夏的整整八年，加藤在京都帝大法科大學的一個角落，專心寫
作《清國行政法》。有志於經濟史的他，分擔產業與土地、貨幣制
度，但清代的研究對他來說，幾乎是全新的領域，每天很辛苦地面對
原典。本來，把中國的官制、稅制、貨幣等，作為研究對象的人並沒
有，很多陷入五里霧中的事情，在總管織田的回憶中常常說到。對加
藤來說，狩野直喜的存在可說是再好不過的夥伴。和內藤湖南一起，
是京都支那學研究之雙璧的狩野，繼承清朝考證學的正統，有心促成
中國學的發展。從狩野那裡，被教導中國文言文正確的文獻處理方法
和讀解法，使加藤從事經濟史的考證，讓他走獨特的路，我想是無可
比擬的財產。經過很長歲月的努力而完成的《清國行政法》，即使到
現在，作為學界共有的財產，仍舊有很高的評價。

　　臨時臺灣舊慣調查會解散的第二年，即大正五年春天，由京都
法學會刊行《支那古田制的研究》。這是他大學的畢業論文，研究從
古代到唐代土地制度的變遷，在《史學雜誌》發表過，特別將周代的
部分增補、改訂而成。但這著作，在方法論和內容上，和後來加藤的
研究業績有很多不同，現在幾乎沒人提到它。不久，加藤因內田銀藏
的推薦，開始在慶應大學任教，定居在東京，從事金銀的研究。和這
個並行的是，大正的後半期，加藤和公田連太郎、和田清等一起參加
福田德三所倡議的正史食貨志譯注的計畫。中國各朝正式歷史記錄的

「正史」，有很多整理各種經濟資料的食貨志（《史記》作〈平準書〉）。這些雖是歷代社會經濟史研究的根本史料，除了《史記》和《漢書》外，其他的正史食貨志，很難懂，且讀起來也不有趣。加藤努力研究中國經濟史，首先，試著作徹底的閱讀。食貨志的譯注事業，經過很多波折，經加藤之手，《史記·平準書》、《漢書》、《舊唐書》、《新唐書》等各〈食貨志〉，戰前由岩波文庫出版，由和田清等後繼者完成的《明史》全部和《宋史》的一部也出版了。

　　大正十四年，因《唐宋時代に於ける金銀の研究——但し貨幣の機能を中心として》，加藤由東京大學頒授文學博士學位。論文在同年末到翌年，由白鳥庫吉審定，分二冊出版，列入「東洋文庫論叢第六」。B4 判七三五頁的巨著之後，加藤有一段話：「譬如想開拓滿目的荊棘，不過是耕得瘠田數畝而已。但研究的興趣如泉湧，欲罷不能。」來吐露他的心情。這研究因是對唐宋時代有關金銀的史料，儘可能地加以蒐集，並作綿密的分析，在明治後半期以後的新東洋史學中，可以說是劃時代的成果。這是研究中國經濟史特殊問題時，的確在方法和形式上提供的一個模範。因此，昭和二年五月，昭和天皇將第一個學士院恩賜賞頒送給加藤。

　　大正末，白鳥庫吉和市村瓚次郎一起屆齡退休，東京大學的東洋史有了新的轉機。有三個東洋史講座中的一個，從大正初年起一直由研究滿鮮史的池內宏負責，往後一直到昭和十四年，都擔任主任教授。白鳥和市村的空缺，最後由加藤和研究明清史的和田清來遞補。昭和三年，加藤就任助教授，十一年升為教授，十四年池內退休後，直到自己退休的十六年三月，一直擔任主任教授，負責這學科。這十五年間，加藤約有五十篇，即每年三篇以上的比例，發表有關中國經濟史的學術論文。退休後，加藤將這些論文加以改訂編纂，計畫整理成好幾本的論文集，雖有心但因過世沒有完成。他的重要的論文，戰後雖由東洋文庫出版《支那經濟史考證》上下兩冊，但遺稿中也有還

沒問世的論文。這些研究集中在唐宋時代，大學的講課也是唐宋經濟史，特別是貨幣史占大多數。金銀的研究，他是植基於孜孜不倦完成的兩個時代的成就之上，然後對個別的問題依次地進行研究。

　　加藤從昭和二年到十九年，好幾次寫中國經濟史的概說，從最後的《支那經濟史概說》[4]來看，在土地制度、商業、貨幣等主要的經濟問題立了十個項目，以史料為基礎，採取從上古到清代，各按時代順序說明的方式。加藤說下次書寫時，將分成三、四個時代，是究明那時代政治、社會的狀況和經濟的關係，但比起他那大放異彩的個別論文，這種累積和體系化的書，很難說是成功的。

　　由於戰敗，大多數日本人從前的中國觀不得已作大幅度的改變。特別是中國研究者受到的衝擊很深。那更接近政治，和京都學風有差異的東京，看起來所受的衝擊更加激烈。加上，毛澤東的抗爭、新中國的成立，是擺在眼前的事實，有很多出身於東京大學的人並沒有上過加藤的課程，他們把它當作中國歷史研究方法的問題，給以前的研究方向不客氣的批評。他們的背後，對新中國成立的理論體系有強烈的共鳴也是不可否認的。從那樣的立場來看，加藤的考證史學，即使有一定的評價，也是脫離現實世界，被列入為考證而考證的範疇。而且，加藤是一個熱烈的愛國者，這也是助長批判的主要原因。加藤自昭和八年京都大學瀧川事件以來，很早就向陷害自由學者的簑田胸喜所主持的《原理日本》雜誌投稿。昭和十八年，把那些文章以《絕對忠誠》的書名整理出版。像旗田巍所批評的，加藤在那以進攻中國為主要潮流的時代，把它和自己的中國研究分開，也從自己的國粹思考中分離出來，這是他明顯的特色。這是加藤中國經濟史特殊問題研究的本來面目，但一部分批判者認為那畢竟是缺乏學問的思想性，但到底是不是可以這麼說呢？回溯到大正十一年，加藤和大正民

---

[4]　《支那經濟史概說》（東京都：弘文堂，1944 年）。

主的主角吉野作造一起出版《支那革命史》一書。它的內容，在戰前的書籍中，特別亮麗，即使現在也不失其生命力。能寫下這麼詳細的民國革命事實，在後來的中國，或是中國和日本的關係，能預知有某些學問的業績，是很平常的事，但加藤卻沒有去作。

　　加藤對蘭克所說的歷史的客觀性表示贊同，他留意去排除一切想像和黑格爾、馬克思理論、政治上的主義，宗教上教義。當然，歷史研究者蒐集有限的知識，假設去建構某個時代的全貌，非利用那些來做特殊事項的研究不可，他也承認那種情況的全體理解是一種史觀，換句話說，是理論和主觀。承認之後，他自己也同意有比別人更多的主觀，但還要大聲說出究明客觀事實的重要性，自己來實踐它。

　　我們總是忘記，在加藤的時代，中國社會經濟史的實證研究和現在的狀況完全不同這一點。誰也不清楚的未開拓的工作，從一個個詞的探討開始，進行打樁、開路。開道的方法、決定方向的方法，令人驚訝的是那麼正確，包含我自己、研究唐宋財政、經濟的人，受加藤指導的地方實在很多。我的老師，現在日本中國史學的巨星宮崎市定，年輕時，把加藤的金銀的研究作為應該超越的目標。一口咬定是為考證而考證的批評是很簡單的，很多的中國史家中，到底有幾個人能達到加藤的考證水平呢？問自己的話，可能毫不後悔的說「雖然力量不夠，但努力做了」的加藤，他按自己的方法，一定很認真的考慮到中國和日本、全體和自己，把它當作欠缺思想的學問，實際上是用曖昧的概念來作批評，我們很難贊同。

　　近來，東京大學的東洋史研究者熱衷中國文明的已很少，寧可像旗田說的歐洲文明至上主義。站在這樣的土壤之上，又加上傾向中國文明程度較強的京都學派考證學的要素，大概是加藤的獨特性吧！在個別特殊研究留下優秀業績的加藤，還沒能整理出他的體系。繼承他的遺志，把加藤的研究之路加以活用吧！

主要著書・評傳

1　《唐宋時代に於ける金銀の研究》（上、下）　東洋文庫　一九二五年

2　《史記平準書、漢書藝文志》　岩波文庫　一九四二年

3　《支那經濟史概說》　弘文堂　一九四四年

4　《支那學雜草》　生活社　一九四四年

5　《中國經濟史的開拓》　櫻菊書院　一九四八年

6　《支那經濟史考證》（上、下）　東洋文庫　一九五三年

7　《中國貨幣史研究》　東洋文庫　一九九一年

十九

濱田耕作

（1881-1938）

京都大學教授　小野山　節

論希臘美術的東漸：濱田的畢業論文

　　濱田耕作是明治三十八年（1905）七月，東京帝國大學文科大學以西洋史學的專攻生畢業。畢業論文的題目是《論希臘美術的東漸》。選這個題目的動機是濱田所崇拜的高山樗牛，一篇討論健馱羅和日本雕刻關係的文章所引起的。史坦因和赫丁中亞細亞的探險報告的影響也有。

　　從那時不足兩年之前的明治三十六年十月，濱田的其中一位老師白鳥庫吉從歐洲回國。回國時的白鳥氏，極力提倡日本的東洋學。三十多年後，白鳥題作〈濱田博士と東洋學〉的追悼文，有如下的說法：「想法相同，又一起共創事業。濱田君雖然專攻西洋史學，毋寧說是和當初之志向不合，但他好好地活用研究法，專心於東洋學研究，他的努力一定會讓我國（日本）的東洋學水準大大地提高，作為新的學者這是相當罕見的事，他執著的態度真令人佩服。這是我平常就有的看法。」[1]

　　白鳥有機會常常會說，把日本的東洋學提升到西洋的水平，作為東洋人的日本人，不能輸給歐美的學者。他在明治三十七年設立亞

---

[1]　京都帝國大學文學部考古學教室編：《濱田先生追悼錄》（京都市：京都帝國大學文學部考古學教室，1939年）。

細亞學會，明治四十年，把包含有學者、實業家、政治家等的東洋協會調查部擴大完成。這東洋協會調查部，刊行學術雜誌《東洋學報》，第一卷由編輯主任池內弘、編輯委員濱田耕作負責，明治四十四年，三期一起出版。從白鳥的追悼文來看，即使想振興東洋研究，但在幾乎都沒有幫助者的狀況中，據說濱田是三位表示贊同的學者中的一人。

　　濱田是明治四十二年（1909）九月，擔任京都帝國大學文科大學的講師，在哲學科開始講授「日本上世美術史」。這是為將來在京都帝國大學文科大學史學科設立考古學講座所作的準備工作。明治四十三年八月，由東洋協會調查部派遣作敦煌文書和南滿州遺跡，特別是一座古墳的調查，在《東洋學報》第一卷第二號（明治四十四年五月），發表題為〈旅順刁家屯の一古墳〉的調查報告。這是濱田有關東洋考古學的第一個例子，當時一般的做法，是用鳥居龍藏的方法，在一定的地域的各種遺跡作概略的調查，而推想文化發達的狀況，濱田這次專門調查一個遺跡，是邁向新方法的第一步。

　　不過，非注意不可的是，濱田幾乎不使用「東洋學」這一用語。從重視東洋學想法的人來看，濱田後來的活動，雖然大大地提高東洋學的水準，但濱田是否有意識不使用「東洋學」的用語？就這點來看，因並沒有看完濱田的全部著作，不敢隨便論斷，但濱田對所謂「東洋學」的概念有疑問也說不定。

　　從畢業論文的題目來看，濱田是不是站在更廣泛的視野？濱田的畢業論文的內容，將其中的一部分，以〈希臘印度式美術の東漸に就いて〉為題，分六次發表在濱田參與編輯的《國華》第一八八號至一九六號（明治三十九年）中。因那是想探究東西文化接觸的痕跡，首先以德國人克柳裴塔魯的《インドの佛教美術》英譯本（因比原著增補很多）為主，說明希臘印度美術的由來，然後依玄奘《西域記》的記載，和赫汀、斯坦因等中亞細亞的探險報告，去檢證那些美術傳

進東土耳其斯坦後，顯示出什麼樣的狀況，那些美術中幾個在中國美術和建築可以看得到的要素，根據伊東忠太的研究作確認，接著在那些要素中，找出在朝鮮、日本可以看得到的，當作問題來討論。[2]

考入研究所的題目是「日本美術史特に外國美術との關係」。

學習裴多利的考古學方法：一九一三年

濱田是明治十四年生於大阪府，隨著父親調職，曾轉學山形、香川、德島、大阪等小學，曾就讀大阪府立第一尋常中學[3]，但因校內事件而離校，後畢業於早稻田中學。經第三高等學校，再考入東京帝國大學文科大學，那是明治三十五年九月的事。濱田在大阪府立第一中學時，在《東京人類學雜誌》第十三卷，發表了第一篇著作，到大學畢業，已發表將近二十篇的論文。

明治四十二年擔任京都帝國大學文科大學講師，大正二年三月升任助教授，留學英國，跟倫敦大學 W. M. F. 裴多利教授學習考古學的方法。裴多利教授開創英國考古學最先進的研究法，並踏實地去實行。但他是埃及學的教授。

大正五年九月，京都帝國大學設立最早的考古學講座，濱田膺重任，開始用他的新方法來作調查活動。隔年九月，升為教授，把研究成果彙整為「京都帝國大學文科大學考古學研究報告」，每年出版一冊，同時提示考古學調查應有的狀態，關於他每年講授考古學方法的內容，大正十一年（1922）時，以《通論考古學》之名刊行。

這書由俞劍華譯為中文，書名作《考古學通論》，一九三一年出版。[4]

---

[2] 收入《東洋美術史研究》，1941 年。
[3] 現在北野高校的前身。
[4] 原著本文省略四頁，圖版六十幀減成十三頁。

《通論考古學》對日本考古學的發展有很大的影響，這種說法沒有人會反對。濱田在英國留學時，雖以學習裴利多的考古學為主，但這書所顯示的考古學體系，可以說是濱田耕作獨有的。

大正七年（1918）受朝鮮總督府古蹟調查委員和朝鮮總督府博物館協議員的委託，去發掘朝鮮的遺跡，特別是大正十年調查慶州金冠塚，為新羅文化研究提供一個基準。考古學的發掘調查是古代文化研究所不可或缺，這點在世界各地都可看得到。這種趨勢也遍及東亞。為了推進東亞古代文化的研究，在大正十五年（1926），以東京帝國大學和京都帝國大學為中心，成立了東亞考古學會。

又為了和中國共同作調查，這個學會和北京大學考古學會一起合作，設立東方考古學協會。昭和二年，由濱田領導，從事遼東半島貔子窩先史遺跡的發掘調查。昭和四年三月，由東亞考古學會出版，列入東亞考古學叢刊第一冊的《貔子窩—碧流河畔に於ける先史時代遺跡》，是 B4 版的豪華本。這給以後出版的報告書的體裁，有很大的影響。當時，即使是在歐美，也給這豪華的報告書很高的評價。

〈東亞文明的黎明〉：一九三〇年

昭和初年，對濱田本人和京都帝國大學文學部考古學教室來說，都是很大的轉機。考古學講座設立的十年後，已可招收專攻生，昭和四年三月第一屆畢業生有四人。就在那個月，文學部陳列館的擴建工程完成，建築物成口形，考古學陳列室，遷到新加蓋鋼筋水泥建築一樓的北邊。這是考古學第一陳列室。透過那些陳列的遺物，不僅可以理解日本古代文化的發達，和東亞古文化的發展有關的，也考慮得很周到。這是把濱田花費二十年的研究成果，用遺物的展示，作具體的呈現。而把它的內容利用鉛字作成出版品的是昭和四年九月刊行的《博物館》和隔年五月出版的《東亞文明の黎明》。

　《博物館》曾作為アルス「日本兒童文庫」的一冊來發行，現在收入「講談社學術文庫」中的一冊。

　《東亞文明の黎明》的內容，是昭和三年十一月，濱田以「考古學上より見たる東亞文明の黎明」為題，在京都帝國大學特別演講，講稿在《歷史と地理》第二十三卷第一、二、三號發表以後，修正若干字句以後出版。附錄加上昭和四年十一月在史學大會演講「日本文明の黎明」的講稿。從演講時使用的很多幻燈片中選取一部分作為插圖，再添加二十一幅圖版。

　有關「東亞文明の黎明」之研究，一是濱田的序，強調是已進入黎明期；二是東亞舊石器時代研究現況概說；三是討論東亞分布石器的特徵和人種問題；四是安德魯遜發現的彩繪土器和西方的關係；五是從殷墟出土的石器、骨器、土器、青銅器，強調這是金石併用期的時代，即發現了聯繫中國古典時代和先史時代連接環；六是認為周代的古銅器是中國青銅器文化的極盛期。但他認為銅和青銅之使用是由西亞傳入。七是以為中國的鐵器時代開始於周末，並處理「秦式」藝術時代，北方文化藝術的要素帶給中國的問題；八是探求它們的起源，討論斯基太（Scythai）文化的影響；九是研究漢代向四方作民族性的擴張，帶來中國文明的擴大，同時和各地文化要素產生融合所造成的結果。十是討論斯漢代文化東漸、採用，以及消化，給南滿州和北朝鮮的影響；十一是給南朝鮮和日本的影響；十二是說明接觸漢文化以前原始日本的狀況，並探究新文化傳入的意義。另加附錄〈日本文明の黎明〉。

　以上是《東亞文明の黎明》的大概內容，但構成內容的各個問題，同是昭和五年的三月出版的《東亞考古學研究》，在所收的三十四篇論文，六百五十七頁的書中，都有詳細的檢討。又二十一幅攝影圖版中，有大半是來自考古學陳列室所藏的遺物。在基礎研究方面，必要遺物的收集和各個問題的精細檢討，因有很多論文來證實，所以

濱田的書，作為一九三〇年東亞古代文明研究的總結，實帶有重要的意味，這也成為以後研究的指標。

本書在昭和七年（1932）由汪馥泉譯為中文，以《東亞文化之黎明》之名（圖版減成十幅）出版；昭和十年（1935），由楊鍊以《東亞文明的曙光》之名譯為中文，列為「史地小叢書」出版。又昭和十四年，濱田為了再版，修正字句內容，將圖版增為二十八幅，由創元社重印，編入「日本文化名著選」中的一冊。又收入有光教一博士所編《濱田耕作集》（上）[5]，附有相當詳細的解說。

研究者的培養

有人說，一個研究者能達成的研究成果並不多。培養許多優秀的弟子，對那門學問的領域來說，是更重要的事。本來考古學講座的專攻生就很少，濱田培養的研究者不能說很多，但濱田培養的優秀研究者，對考古學的發達也有很大的貢獻。

這事是因濱田組織學會，或是工作時，常常給年輕的研究者機會，又在很多機關兼相關的工作。昭和四年（1929）以來的重要職務，列舉如下：擔任外務省所設東方文化學院的理事，同是外務省所設京都研究所的評議員來指導研究員。昭和五年，擔任文學部長；六年，帝國學士院會員；八年，日滿文化協會理事、朝鮮總督府寶物古蹟名勝天然紀念物保存會委員；九年，日本古文化研究所理事、國際文化振興會理事；十二年，京都帝國大學總長、日本學術振興會理事、教育審議會委員。昭和十三年（1938）七月二十五日，五十七歲時過世。

從很多的追悼文可以看得很清楚，門生以外受濱田影響的研究

---

[5]　《日本考古學選集》，第 13 卷，1974 年。

者數量很多。這裡把門生中專攻東洋考古學的學者列舉如下。他們是梅原末治、島田貞彥、水野清一、長廣敏雄、有光教一、澄田正一等人。

主要著書・評傳

1 〈先學を語る——濱田耕作博士〉 東方學第六十七輯 一九八四年

2 《濱田先生追悼錄》 京都帝國大學文學部考古學教室編 一九三九年

3 《濱田青陵とその時代》 藤岡謙二郎 學生社 一九七九年

4 《濱田耕作集》（上、下） 有光教一編 日本考古學選集十三、十四 築地書館 一九七四、七五年

5 《濱田耕作著作集》七卷 濱田耕作先生著作集刊行委員會編同朋舍 一九八七年～一九九三年 第六卷未刊

6 《慶州の金冠塚》 財團法人慶州古蹟保存會 一九三二年

7 《東亞文明の黎明》 刀江書院 一九三〇年 後由創元社納入「日本文化名著選」，一九三九年刊。

8 《百濟觀音》 イデア書院 一九二六年 其中一半與東洋有關者，一九四八年養德社以同一書名刊行。一九六九年平凡社刊入「東洋文庫」一四九號，內容和養德社版有若干不同。

9 《博物館》 アルス日本兒童文庫五十四 一九二九年刊 後改名為《考古學入門》，由創元社收入「創元選書」七十八，一九四一年刊。又改名為《せさしい考古學》，一九六二年有紀書房刊。又改為《考古學入門》，收入「講談社學術文庫」，一九七六年刊行。

10 《通論考古學》 大鐙閣 一九二二年。全國書房 一九四七年。雄山閣 一九七九年。

二十

羽田　亨

(1882-1955)

京都大學教授　間野英二

　　首先，請原諒的是要從我的記憶開始談事情。我最初接觸偉大的東洋史學者羽田亨的名字，是昭和三十三年（1958）升入京大二年級生的不久，在教養部吉田分校的一隅。春天的某一日，在為學生而設的布告欄瀏覽時，看到了《羽田博士史學論集・上卷歷史篇》的廣告。內容的介紹之後，有想購買的人可向文學部東洋史研究室的鈴木提出申請，用朱墨漂亮的筆跡寫著。一看目次，想買的心情就高了起來。直接到文學部陳列館的東洋史研究室，小心翼翼地向看似研究生的人告知來意，不久，不知從哪裡來的嬌小女生走小步出現，以打折的價格交給我論文集。事實上，這是我購入東洋史關係專門書的最初經驗。心裡跳動著回到住處，很快地，開始讀第一篇〈蒙古驛傳考〉。但是，當時的我根本看不懂，不得已祇好放回書架。但這樣的專門書能在自己的書架上也有相當的滿足感。以後，常常拿出來瀏覽。因覺得有書香味而高興。現在想起來，即使不能了解它的內容，這第一次購入的羽田亨的論文集，把它常常放在身邊，對我來說也是很幸運的事。因為從該書，我不知不覺地有好機會去學得，出生於日本的最偉大的中亞細亞史家、內陸亞細亞史家的精緻的研究方法和明晰的論述方法。

　　明治十五年（1882），羽田亨生於接近日本海，京都府丹波的峰山町，是吉村和的四男。明治三十一年（1898）入籍羽田家。幼時即

有神童的聲譽，高等小學一畢業，僅滿十四歲，即在本地的分校開始
做助教。但是，因對學問的熱情，不久上京都，編入京都一中的第三
學年。到這裡的經歷是：在偏僻的地方長大，懷抱著青雲之志上京，
不久成功地達成他的心志，見到他就好像看到充滿浪漫的典型明治
人。以後羽田亨的經歷，真是一帆風順。經三高，明治四十年
（1907）東京帝大文科大學史學科（支那史學專攻）畢業。畢業論文
的題目是〈蒙古窩闊臺時代の文化〉。原來想成為新聞記者的，很可
能在東京帝大時，在老師白鳥庫吉的影響下，改變心志研究東洋史
學。一畢業就回到京都，入京都帝大的大學院，二年後的明治四十二
年（1909）成為京都帝大文科大學講師。這是他的京都時代的開始。
在京大，經文科大學助教授，大正十一年（1922）以《唐代の回鶻に
関する研究》取得文學博士的學位，大正十三年（1924）就任文學部
教授，以後擔任東洋史學第三及第二講座，從宮崎市定、田村實造、
安部健夫等開始，培養出如閃耀的星星的傑出人物。

　　在行政面的活動力也是驚人的，歷任文學部長、附屬圖書館館
長之外，從昭和十三年（1938）至二十年（1945）的七年間，在那戰
時困難的時代裡，作為京都帝大第十二代總長，貫注心力確保學問的
自由，還有創設人文科學研究所、結核研究所、木材研究所等，可舉
的成果很多。昭和十一年（1936）被選為帝國學士院會員，總長卸任
後，擔任東方文化研究所所長，還列席貴族院議員。即使學會活動，
東洋史研究會、東方學會，也都是作為首任會長而有助於學界的發
展，還有，透過滿蒙調查會、日滿文化協助會等文化事業，盡力培養
年輕的研究者。昭和二十七年（1952）從法國學士院獲得 Julien 賞。
翌年二十八年（1953），日本政府頒授文化勳章，三十年（1955）法
國政府頒給 Légion d'honneur 勳章（オフィツェ級），二十九年
（1954）被選為京都市名譽市民。昭和三十年（1955）過世，享年七
十三歲。這是其他的東洋史學者完全沒見過的例子，真是功成名遂，

了不起的生涯。

　　羽田亨的研究領域，大抵分為四個方面。第一是北亞細亞史（滿蒙史）的研究。在蒙古史、元朝史的領域，〈蒙古驛傳考〉、〈元朝驛傳雜考〉等蒙古時代交通體系的相關研究外，處理蒙古人對中國文明的態度，刻畫「蒙古至上主義」的存在的名篇〈元朝の漢文明に對する態度〉，和指出土耳其文化對蒙古社會影響的〈元朝秘史に見ゆる蒙古の文化〉等，是最重要的業績。學位論文的題目是遊牧時代維吾爾史的領域，構成學位論文一部份的〈九姓回鶻とToquz Oruzの関係を論ず〉，是把中國史料和古代土耳其語史料加以整合解釋的苦心之作，〈漠北の地と康國人〉指出突厥、維吾爾等遊牧民族國家和中亞細亞綠州居民粟特人關係的緊密性，是一篇開風氣之先的論文。即使在遼、金史的領域，有關黑契丹史的〈西遼建國の始末及び其年紀〉和處理契丹文字、女真文字的〈契丹文字の新資料〉等。還有由羽田監修完成的《滿和辭典》是到目前為止最值得信賴的滿州語辭典，繼承內藤湖南事業的《明代滿蒙史料　明實錄抄蒙古篇一》，是後來在田村實造指導下完成的《明代滿蒙史料》（全十八冊）的先導。

　　第二是西域史、中亞細亞史、敦煌學。這是羽田亨最用力、把它作為新鮮的業績而次第發表，讓學界驚嘆的領域。羽田在明治四十三年（1910）很快地發表〈伯希和氏の中央亞細亞旅行──敦煌石室遺書發見の次第〉，喚起大家注意敦煌新史料發現的重要性，此後也不間斷地注意海外研究的動向，透過〈龜茲、于闐の研究〉、〈輓近に於ける東洋學の進步〉等優秀的介紹性論文，持續為我國學界提供最新的情報。而且，自己毅然決然地從事中亞細亞出土文獻的研究，在中國語文獻方面，大谷探險隊帶回的〈李柏文學〉的研究而有名的〈大谷伯爵所藏新疆史料解說〉，和有關摩尼教的〈新出波斯教殘經に就て〉，有關景教的〈景教經典志玄安樂經に就いて〉等，是他發表而令人刮目的論文。但是，讓羽田亨擁有最高國際名聲的是中亞細

亞出土的維吾爾語文獻的研究，特別是宗教文獻的研究。首先是佛教文獻，由傑作〈回鶻の天地八陽神呪經〉開始，〈回鶻文安慧の俱舍論實義疏〉等；在摩尼教方面，〈吐魯番出土摩尼教祈願文の斷簡〉等論文，為世界學界提供新的資料，作為當代一流的吐魯番學者的評價也確立。而且，以這些基礎的研究為背景，在昭和六年（1931），把回教化以前的東土耳其斯坦文明的特質，用流暢簡潔的文章寫成名著《西域文明史概論》，作為歷史家的卓越才幹和高明的識見，完全顯示出來。還有，昭和二十三年（1948），把中亞細亞的大勢和各時代的文化的特徵，用平淡的文體作確實的描寫而著成《西域文化史》，他的名聲也更高起來。

　　第三是東西交涉史。把有關唐代西域求法僧的根本史料作嚴密考訂的文本，作成《大唐西域記・同考異索引》、《大唐大慈恩寺三藏法師傳（附錄同考異索引）《慧超往五天竺國傳迻錄》之外，解讀傳到日本的波斯語的詩〈我國に傳はれる波斯文に就いて〉，討論帖木兒和明代關係的〈帖木兒と永樂帝〉，概論隋唐文化的國際性的〈隋唐時代の文化〉。羽田東西交涉史的觀點，在他有關中亞史的研究中也常常反映出來。在這裡所說的第二和第三的領域，可說有密不可分的關係。因此，這裡把它們分成兩項，只不過是為了方便，這是特別要加以說明的。

　　第四是民族學，這領域是他研究的初期階段，發表過〈蒙古族の宗教的風俗習慣附蒙古の巫人〉、〈北方民族の間に於ける巫について〉。此後，羽田在這領域沒有繼續再研究，但這些論文作為北亞游牧民族社會研究的一個課題，很快就看清楚薩滿研究的重要性，這可說表現出羽田學術敏感度的先進研究成果。

　　以上是羽田主要的研究領域，羽田也是優秀的資料收集家。羽田在留學乃至以蒐集資料為目的，在以中國為首、倫敦、巴黎、莫斯科等地停留，每次他都帶回貴重的資料。在所收集的資料中，以清朝

開國時期的滿州語史料《滿文老檔》和滿州語、西藏語、蒙古語、維吾爾語、漢語等五國語對譯辭典《五體清文鑑》，以及〈成吉思汗皇帝聖旨牌〉等最有名。此外，維吾爾語文獻、突厥‧維吾爾碑文拓本、西域繪畫模寫本等，蒐集範圍很廣，對後進有很大的助益。羽田在人物描寫方面也有卓越的才能，從〈史料蒐集家としての內藤博士〉、〈桑原博士──東洋文明史論叢序〉、〈濱田君の追憶〉、〈ラードロフ博士〉等追悼文，與他同時代的大學問家的姿態，感情豐富且活生生的重現出來。羽田主要的論文，在他過世後，由高足整理成《羽田博士史學論文集》上、下二卷，可以參照。

支撐羽田學問的最大支柱，可能是他那很罕見的語學才能，和把所有的可能性在腦海裡作緻密的思考，以及能證明他的優秀思考的綜觀能力。據我所知，羽田除了英、德、法、俄、中等現代各國語之外，也精通中國古典語、土耳其語、蒙古語、滿州語、西藏語、波斯語、梵語等東洋各種語言。即使像新發現的粟特（Soghd）語，也具備相當的知識。語田在大正六年（1917）的演講（「輓近に於ける東洋學史の進步」）中說：

> 以前所謂東洋史（這裡是指中亞史、西域史──筆者註）的學問，用中國的書籍來進行研究之外已別無他途，說是這樣也不會太過分。但「漢史中靈活記下的事情，僅是照亮一部分的火炬，並不像日光般能照出全部的光景。換言之，粗陋謬誤的地方很多。」

他指出僅根據中國文獻來作中亞研究的侷限性，接著在介紹歐洲新出史料的研究現況之後說：

> 對研究者來說，最不可缺的武器是語言知識，如果沒有那些，隨著前述趨勢（歐洲研究動向──筆者註）而來的研

究步調，幾乎不可能進行。

這裡明確的宣示，中亞細亞的研究是要在中亞細亞，由中亞細亞人殘
留下來的文獻，即應以現地語文獻為主來進行，這就是現地語史料第
一主義的研究法和立場。這是對我國作中亞細亞研究時，以中國文獻
為主所作的激烈批判，一想到他寫作的時代，那是令人吃驚的新鮮文
章。也只有像羽田精通各種語言，才能寫出語氣這麼重的文章，同
時，也可說自然而然反映羽田學問特質的文詞。但羽田所說的現地語
史料第一主義，對羽田這種語言的天才是當然的事，其他想模倣、實
踐的學者就不容易。因此，羽田所說的研究態度和方法，長期以來在
我國（日本）的中亞細亞研究，並沒有成為主流，以後以中國文獻為
主的研究，仍舊是學界的趨勢。但是，特別是一九七〇年以來，隨著
學過各種語言的年輕研究者增加了，情勢也大大地改觀。現在僅依賴
中國文獻來作研究的學者已非常少，羽田這種充滿先見的認識，好不
容易經過五十年，現在已變成人人都可以理解的事。

　　加上他的語言的才能，羽田擁有冷靜沉著判斷力的天賦才能，
他能把蒐集來的大量情報作客觀、合理的處理，並明快的作出結論。
因為他的明快，在先前說過有廣泛讀者群的《西域文明史概論》、《西
域文化史》之外，〈宋元時代總說〉、〈奈良飛鳥時代の文化綜說〉等
概論性的論文，可以說最能反映羽田這種資質。

　　羽田是白鳥庫吉門下的高足，在作歷史研究時，我想是從白鳥
那邊學到了語言的重要性。但是，把白鳥和羽田的論文相比，可看出
很大的不同。對篇幅長且難理解的白鳥論文來說，羽田的論文幾乎是
簡潔明晰的。羽田這種特徵，恐怕是他在京大時受內藤湖南、桑原隲
藏影響而學會的吧！順便要說的是，內藤湖南直感的、能通近時代核
心的天才綜觀能力，桑原隲藏連自己的缺失也自己記下的可怕之周到
性和客觀性，在羽田的文章中都可以明顯的看出來。像所有優秀的人

物那樣，羽田也很容易接納身邊的東西，把它們完全消化，變成自己的。可說富於柔性思考和帶著感性的人。東京大學文學部的畢業論文，沒有紙張數的限制，聽說超過一百張、二百張稿紙的長篇論文會受到獎勵和好評。相對來看，京都大學文學部的畢業論文是限制在五十張以內，要求在這麼短的張數內展開討論。有關論文長短的不同，是從兩校長期以來傳統中所產生出來的吧！但白鳥、羽田論文的風格，在這一點上已有明顯的不同，這是很有趣的事。

　　一讀能親炙羽田講席弟子的追悼錄，羽田是所謂的「可怕的老師」。沒有機會受教於羽田的筆者，是什麼樣的可怕，祇能用想像的，但這種「可怕性」，恐怕是對羽田深不見底的學識和深遠的思考，所引起的敬畏之念，比什麼都來得大吧！如果是這樣的話，那是對和我們同時代、傑出的東洋學者宮崎市定所常有的「可怕性」，恐怕是同樣的東西。那是我們這些後進給偉大學者值得誇耀的勳章。

　　羽田喜歡網球，是擔任網球部長的健將，有三島海雲（可爾必思食品社長）、武田長兵（武田製藥社長）等學界以外之朋友的羽田，可說具有吸引人的無限魅力。和學界親近友人濱田耕作、池內宏同席時，隨機灑脫的應答是一直持續而不知何時結束的談話，這可看出另一面的羽田，非常有趣味。

　　現在，京大文學部附設有紀念羽田的羽田紀念館（內陸アジア研究所）。這紀念館以推進羽田所確立的內陸亞細亞的研究為目標，設備和資金是由三島、武田所捐贈。學界外的友人，為了一個學者，捐贈給大學這種設備的例子，恐怕很少。紀念館的大廳掛有羽田的遺像，可說帶著友人的愛念，溫馨且嚴肅的，讓我們後進仰望著。

主要著書・評傳

1　《西域文明史概論》　弘文堂書房　一九三一年
2　《西域文化史》　座右寶刊行會　一九四八年
　（上述二種，一九九二年平凡社東洋文庫合刊成一冊，書名為《西
　域　文明史概論・西域文化史》）
3　《羽田博士史學論文集》　上卷歷史篇　東洋史研究會　一九五
　七年（一九七五年同朋舍再版）

二十一
諸橋轍次
（1883-1982）

大東文化大學大學院講師　原田種成

　　本刊的讀者，不知道《大漢和辭典》的著者諸橋轍次的，我想是沒有。我想，這世上是把諸橋看作「漢字之神通」、漢字漢語的事是無所不知的學者。僅是《大漢和》的業績，已足夠讓人讚賞，但諸橋的本領不僅在編著字典。隱藏在辭典之後的學問之業績，才是諸橋的本意。

　　昭和三十五年五月二十五日，《大漢和辭典》全書出版紀念會，諸橋致詞說：「協助我的工作的，約有一百人。」吉川幸次郎的祝辭說：「清代大學者段玉裁寫定《說文解字注》時，感嘆要請到好助手非常困難。先生能得到那麼多好助手，段玉裁在地下有知，將會歆羨不已吧！」

　　諸橋在《大漢和》第十二卷末的跋文說：「延續二十多年的編纂和校正工作，大概可分為兩期。前半的資料蒐集，麻煩大東文化學院相關人士甚多；後半的資料整理，麻煩東京高等師範學校、東京文理科大學、東京教育大學相關人士很多。」但，這並不正確。資料蒐集是昭和六年結束，七年四月起開始製作原稿，九年四月開始組版，十年三月原稿完成，四月起增補校對稿。在二校、三校中，幾乎補入五成的資料。

　　如果前半大東文化學院的相關人員沒有製作原稿的話，在九年四月起開始組版的事根本不可能，校正時沒有進行到五校、六校的

話，遷移校正稿的事也不可能。

製作原稿時，首先是蒐集語彙，蒐集語彙出典的引文，查書名之外的篇名、題名，解讀引文並寫下解說，加上句讀和讀音順序符號。在出典和引文中可能有語彙的，就從龐大的中國典籍中找出來。那像是在大海中撈東西，非有很多的協助者不行。

即使原書是德語和法語，因單語是一個個分開書寫，不管多難也能查出來。而漢文的原書，因漢字是連下去的沒有斷句，學力不足的話，連查辭典都有困難。當時，二十歲前後，專攻漢學的大東文化學院高等科生和畢業生，解讀消化原文的能力相當不錯，大東文化對《大漢和》有很大的貢獻。

紀田順一郎編《大漢和辭典を讀む》，有一段話：「昭和八年起，在杉並區天沼借一間小屋，以文理大學生為編纂助手」。「昭和八年」是「十年」之誤。在天沼編纂所，文理大學生一個也沒有。

當時，字體並沒有規格化的問題，把《康熙字典》的字形，照原樣使用，改正有明顯錯誤的兩三個字形，但諸橋完全沒有參與。因此，明朝體活字特有的筆畫之誇張、不統一和錯誤，一直存在。（詳見拙作《漢字小百科辭典》（三省堂））

講得這麼明白，大概有不良的影響。在《大漢和》修訂版出版，可信度大增，它的價值不可動搖的現在，為免世人誤信，這樣做是有必要的吧！

諸橋是大正十年八月由岩崎男爵聘為靜嘉堂文庫長。清代陸心源的舊藏書之外，因收藏很多和漢稀書、珍籍，所以請長澤規矩也和川瀨一馬來調查整理。據說因為長澤，宋版的數目減少，是因為被判定為非宋版的書不少。這兩人在二十歲前後涉獵很多書，後來都成為了書誌學大家。

昭和四年一月，諸橋因《儒學の目的と宋儒の活動》，由東京帝國大學授予文學博士時，有「年輕博士」的風評。和現在不同，四十

七歲的諸橋可說是年輕的。

諸橋於明治十六年六月四日生於新潟縣南蒲原郡下田村。由新潟第一師範進入東京高等師範，又在同校漢文科畢業。高等師範是培養教師的專門學校，不是深究學問奧秘的大學，因此，他向東京帝大提出論文。

大正三年，由政府公費設立大東文化學院，是本科三年、高等科三年的六年制專門學校，授給舊制中等學校教師和高等學校教師的執照。因高等師範畢業只有中等學校教師的執照，在東京和廣島，與高師有關的人，對政府展開激烈的運動，昭和四年，東京和廣島兩高師升格為文理科大學。

一直到昭和初年，聽說由其他學校來申請學位的論文，好幾年都原封不動的放著。諸橋的情況是，東京高等師範研究科畢業後，不久發表的《詩經研究》，不僅得到很高的評價，也成為湯島聖堂斯文會研究部委員參與策畫，在《斯文》發表〈疑經疑傳〉等數篇論文，大正八年起的二年間，在中國留學，從以前他就以實力而有名。因此，主審宇野哲人以一年多的時間審查而授予學位。諸橋的論文因闡明儒學的本質和目的，詳論宋代儒學家的學術活動，刊行後被評為名著。

昭和初年的文學博士是他的學問有很高的評價，被認為得學位是理所當然的，才能給他。沒有學位，但學養豐富，受人尊敬的大老也不少，所以，諸橋被認為是年輕的博士。

大正十年起成為東京高等師範教授，十五年起也擔任大東文化學院教授。和現在不同，即使專任的學校之外也是教授，擔任大東文化學院志道會的研究部長。筆者是當時研究部的幹事，請諸橋擔任講演會、講習會的講師，把講稿作成筆記提出來。諸橋有點詼諧，自豪地說：「怎麼樣？我講的話可以一字不動地印刷！」他的講課非常清楚，筆記也是很完整的文章。《經史八論》就是由大東文化和國學院

的講課筆記整理而成的。

研究部的活動是開設經學史和東洋史的講習會，經學史作了筆記，已刊行。諸橋又以專攻漢學的大東文化的學生適合的工作，而勸他們編索引，昭和十年三月出版《綜合春秋左氏傳索引》。該書的分類項目是諸橋擬定。這本書對《大漢和》的編纂，有很大的用處。

昭和十一年三月，成為東京帝國大學講師。宇野哲人屆齡退休，非帝大出身的諸橋被聘為講師，這是他的學問得到很高評價的明證。

諸橋是在昭和十二年的講書始業式中擔任漢籍進講。向天子進講經書的講習叫經筵，中國的經筵進講始於漢代，歷代王朝一直遵行。我國（日本）在平安朝以來，菅原、大江、清原、中原等博士家都擔任向天皇進講的職務。

明治以來，講書始業式是宮中新年的一個儀式，每年一月以天皇為首的皇族，分國書、漢籍、洋書三部份，每部邀請學者一名到宮中，在御學問所進講的一種儀式。戰後從人文、社會、自然各個學科來選進講者。

諸橋是昭和十一年一月遞補，隔年一月十八日，向天皇進講《論語·憲問篇》「子路問君子」章。很可能是諸橋有得儒學經髓和孔子之道的本領，才能去進講。

因感激這種榮耀，刻了「丁丑經筵講魯論」的關防，筆者所藏諸橋所書的扁額和條幅，都蓋有那個印。丁丑是昭和十二年，魯論是《論語》的雅稱。

昭和十八年九月，《大漢和辭典》第一卷發行。那時，預約者有三萬五千多人，但因戰時用紙配給只能有一萬冊，只好挑選預約者。

那時，筆者等編纂人員視察神戶印刷所。從第一頁到最後一頁，隨時要更換活字，全書一萬五千頁，每頁四欄，計有六萬個組版的盒子並排著，非常壯觀。這些在昭和二十年二月二十五日的空襲中

燒燬，全書的組版化為巨大的鉛塊。

昭和二十年八月，諸橋擔任東宮職御用掛。根據傳聞，昭和十二年漢籍進講時陪聽的湯淺內大臣感受很深，因此要求他擔任皇太子的漢籍侍講。

筆者以《貞觀政要》的研究獲得學位時，諸橋講了以下的話：「昭和二十年以來，以宮內省御用掛被任命為皇太子殿下的漢籍侍講。久松潛一博士講國文，其他各有專門學者。在御進講時，從來有關東宮御進講之事的調查，《群書治要》和《貞觀政要》是不可或缺的書。因此，《論語》、《孟子》的御進講結束後，或許講《貞觀政要》也說不定。但因有終戰之事，終於沒有機會。」

由於終戰，美國婦人成為皇太子的教育工作人員，我想諸橋的進講也就終止，但由諸橋的略年譜：

> 昭和二十年（西元一九四五年）八月，被任命為東宮職御用掛。十二月，擔任學習院講師。
> 昭和二十一年（西元一九四六年）六月，在小金井東宮仮御所，開始向皇太子明仁親王殿下進講漢學。以後六年間每週兩回，在學習院進講。十一月，春天手術的右眼完全失明。
> 昭和二十七年（西元一九五二年）二月，延續六年對太子的御進講終了。

諸橋所說的二十年以來如何如何，是指昭和二十年八月被任命為東宮職御用掛，有一段準備期間，二十一年六月在小金井的東宮仮御所開始進講漢學。美國婦人來後，東宮仮御所的進講停止，但因在學習院的進講仍持續著，他的話和年譜並沒有矛盾。而且，並沒有把皇太子的教育全部委託美國婦人，由諸橋、久松擔任的漢籍和國書課程，仍舊持續著。

　　昭和三十年五月，由名醫手術的右眼已經復明。這之前筆者去訪問時，他說，我只能很模糊的知道你在哪裡，心情也很暗淡。這年起，《大漢和》開始刊行，因擔心著者失明而影響到該書價值的大修館鈴木社長，諸橋的復明使他高興得跳起來。

　　由於戰敗，國家的再建很是憂慮，諸橋的住宅倖免於戰災，但大修館罹災後，原稿、資料全化為灰燼，印刷工廠的組版也完全不存。因為那樣，筆者等在年輕時代特別狂熱的《大漢和》，心想再也不會問世。但是，戰後的復興令人刮目相看，大辭典的刊行也變成可能，被認為最大障礙的活字製作問題，也因照相植字的開發而解決，用遷移的校正稿，至昭和三十五年五月全書出完，對筆者來說，是無上的喜悅。

　　昭和三十二年九月就任都留短期大學校長。三十五年二月，擔任都留文科大學創校校長。

　　昭和三十五年二月，皇孫浩宮德仁親王誕生，和宇野哲人一起勘申御名號、御稱號。四十年的禮宮，四十四年的紀宮。也是他們勘申的。「勘申」是對天皇諮問的回答，調查先例、典故等，然後稟報。由諸橋、宇野各別勘申，再由天皇決定。

　　昭和四十年十一月，被授予文化勳章，五十一年十一月，敘勳一等，是學者所接受的最高榮譽。那時的諸橋，所說的感謝之語：「託你們的福，晚年才能過較優雅的生活」仍記得很清楚。

　　諸橋學問上的業績，有《諸橋轍次著作集》十卷，有關儒學的論文之外，《論語講義》、《老子講義》、《孔子傳》、《莊子物語》等通俗漢學著作，很受歡迎。

　　昭和五十六年十一月，諸橋白壽（九十九歲）紀念，出版《廣漢和辭典》。諸橋以前就對《大漢和》不採我國（日本）王朝時代的漢詩文語彙有所不滿。體會他的意思，由鎌田正、米山寅太郎編集。《大漢和》製作原稿時，一定查《佩文韻府》、《駢字類編》；但是，《廣

漢和》僅把《懷風藻》、《本朝文粹》等所採之詞彙，和《大漢和》相對照而作取捨，把引用中國古典作為第一要務的方法，好像沒用上。

《大漢和辭典》是在筆者等人參與原稿製作的昭和七年到昭和十年，原稿的完成非常地急迫。因此，查《佩文韻府》和《駢字類編》，找出引文和篇名、題名等，把它和原文相對照的時間完全沒有，就照原樣抄入原稿中。《佩文韻府》、《駢字類編》是尋找出典的重要典籍，但史書等較長的引文，往往僅節錄其中的要點，詩篇名也往往加以縮短。所以，利用《大漢和辭典》的人，查原文時發現有不同，很多意見都寫到諸橋那邊。筆者對好友和學生說過，《大漢和辭典》的引文，不能盲從引用，只能當作一種索引來用，自己一定要再查原文。

因為如此，諸橋一直希望能出修訂版，他說：「為了使本辭典的生命不朽，非反覆的修訂增補不可。但是，刊行大辭典後，出版修訂版的資金和勞力，是非常難的事業。」

鎌田正、米山寅太郎和多數的協助者，花費二十多年繼續修訂的工作，但是諸橋在昭和五十七年十二月八日，完成百歲的天壽而永眠，無法看到昭和五十九年四月修訂版的刊行。

諸橋曾經跟鎌田正說過：「最近，看一看某大學漢文關係課程的題目和畢業論文題目，令人吃驚。那讓我對今後的學問感到憂心。有志於學問之大道，讀應該讀的書，學應該學的事，非進行真正的研究不可。特別是在漢文學方面最是重要。」這只是出版論文的數目，對審查大學教師是否適任的現狀作一種批評。

以前，大東文化學院創立時，即使不寫書和論文，那深厚的學殖也得到很高的評價，聘請早稻田高等學院教師川合孝太郎，講授《說文》段注和《周禮正義》，拔擢開成中學英語教諭石田羊一郎，講授《楚辭》、《古詩源》。石田號東陵，長於漢詩，《日本漢詩》（明

治書院）、《明治漢詩文集》（筑摩書房）收有他的作品。

　　連《論語》都沒看完，原文的正確解讀也不會，一窩蜂去寫作像狹小的陶罐那樣的研究論文，這種學界的情況，筆者也感到憂心。

　　諸橋是學者，同時也是優秀的教育家。由諸橋所培育的學者為數甚多。

主要著書・評傳

1　《諸橋轍次著作集》　全十巻　大修館書店　一九七五年

2　《論語の講義》　大修館書店　一九七三年

3　《老子の講義》　大修館書店　一九七三年

4　《如是我聞──孔子傳》（上、下）　大修館書店　一九九〇年

5　《孟子の話》　大修館書店　一九八九年

6　《莊子物語》　大修館書店　一九八九年

7　《現代に生きる（大學）》　大修館書店　一九八九年

8　《漢字漢語談義》　大修館書店　一九六一年

9　《宋名臣言行錄》（原田種成と共著）　明德出版社　一九七二年

二十二

武內義雄

（1886-1966）

東北大學名譽教授　金谷　治

　　武內義雄是最先把日本的中國哲學當作思想史學，而建立其方法的學者。他是三重縣內部村小古曾（現四日市）人，字誼卿，號述庵。明治十九年（1886），生於真宗高田派的願誓寺。父親義淵是有名的學僧。武內在京都帝國大學文科大學攻讀中國哲學史，畢業後，在大阪府立圖書館工作，擔任懷德堂講師，不久，到仙臺的東北帝國大學法文學部擔任教授，開設支那學第一（中國哲學）講座。歷任學部長、圖書館長等要職後退休，成為名譽教授、經學士院會員，還有東宮職御用掛、名古屋大學文學部講師，昭和三十五年以文化功勞者接受表彰，昭和四十一年（1966），以八十歲的高壽過世。

　　在京都大學就學時期的青年武內，因指導教授狩野直喜（君山）「清朝學術沿革史」的課程，受到很深的感動，那是以介紹清朝考證學為主的課程，但武內受到那課程的引導，而讀閻若璩的《尚書古文疏證》。那是分析《書經》的內容，區分古文和偽古文的實證性研究。武內對該書考證的精確和引證的賅博，非常感動。

　　還有，接近古稀的碩學武內，在祝賀的時候，作了〈高郵王氏の學問〉的演講。高郵王氏是清朝乾隆、嘉慶期，風靡一世的王念孫、王引之父子，也有稱為戴段二王之學的，是繼承戴震、段玉裁考證學的代表人物。演講時，讚賞二王細密的實證學風，最後引到的王引之的話，特別印象深刻。王引之認為自己的學問不是儒教的哲學，而是

小學（訓詁學），自己是讓古代語言流傳到現在的舌人（翻譯者）。當然，那些話給武內有很深的感受。

像前面兩個小故事所表示的，武內學是以清代考證學作為出發點，也當作基礎。他的研究是從忠實地閱讀原典開始。正確地閱讀原典，對古典研究，乃至歷史研究來說，是理所當然的事。但在武內這邊，那是以清朝的訓詁學為中心，極為嚴格地來進行。王引之所說的「舌人」的自覺，支持了他的作法。但是，要正確閱讀古典，僅靠訓詁之力是不夠的。有必要糾正歷來流傳時的錯誤，能協助這工作的是校勘學，校勘是比較異本、異文（校），一起思考（勘），再決定正確的文字和文本。稱為「校定本」的正確文本，時時有新作的必要。

校勘學是江戶期的享保年間，由山井鼎開始，中國是由阮元繼承而興盛起來。武內的校勘是加入目錄的新方法，而推進一步的學問。利用自古以來歷代的書籍目錄，根據那些目錄作很多異本的調查。校勘時，收集很多的異本、異文，但不一定越多越好。調查各本的來歷，選擇正確系統的本子，比較之後再作判斷。武內的校勘學是由目錄學的應用和日本古鈔本的利用，得到了驚人的成果。

武內義雄譯註的《論語》和《老子》（原岩波文庫），就是根據這種研究方法所得的成果。當時譯文還沒有使用現代的語譯，這是它的侷限，但植基於精密訓詁學之新式閱讀方法，在今日仍應有其參考價值。最近，中國古典譯注本出版很多，但願意付出這麼多苦心的，到底有多少呢？

又要更進一步閱讀的話，校勘學和訓詁學之外，要加入原典批判的方法。武內學的本領事實上就在這裡。批判性的分析古典內容，考察它成立的事情。武內進而把它當作思想史學的方法來展開。

原典批判的方法，不用說在歐洲的古典研究早已確立。不過，武內是從京都大學的恩師內藤虎次郎（湖南）得到啓發。內藤彰顯江戶學者富永仲基的「出定後語」。富永的著作是有關佛典的分析，古

代的記錄，實際上是對後代加上去的「加上」說立了法則，內藤的學問相當廣博，特別是他的〈爾雅の新研究〉、〈易疑〉兩篇，分析《易》和《爾雅》的內容，各別考察原資料的新舊。

武內原典批判最初出版的成果是《老子原始》。是向京都大學提出的博士論文。那是透過《老子》的文本批判和《史記》老子傳的批判，考證《老子》的成立和老子其人年代的力作。反對以老子作為孔子前輩的通說。相反地，以老子為後輩，把《老子》當作戰周異派思想混合的混成之書，這是武內的結論。

當然，這樣的疑問從武內之前已存在，但如此完整和有體系的實證，真可說是劃時期的事。他的本文批判，將韻文和散文相混雜的地方加以分開，以這種獨特的方法為主軸，進行的極為清楚，把本來的思想和後來附加的法家、縱橫家、兵家等的思想，截然加以區別。這種新說，在後來的《老子の研究》，有更進一步的展開，和中國當時的疑古派相結合，得到很多人的贊同。

但是，武內的文獻批判方法，得到更高評價的是來自《論語の研究》。雖然，他也利用江戶時代伊藤仁齋和清人崔述的研究，但相對於那些僅依賴文章和說話的比較吟味的單純方法，武內以目錄學的方式，去考論這本《論語》的來歷，探求他本來的面貌，是兼用了新的獨特方法。武內所提出的結論是將《論語》二十篇分解為河間七篇本，齊魯二篇本、傳到齊的七篇，本來不是《論語》的三篇等。把河間本[1]論定為最古老的資料。

這結論和《老子》的情況不同，並沒有馬上得到學界的承認。但是，至少推翻了把《論語》認為是一貫完整的主流說法，而其內容有很多可批判的疑點，因武內的研究也成為眾人皆知的事。而且，問題也不僅止於《論語》而已。作為古典研究一般基礎的操作，文獻批判

---

[1]　從〈為政〉第二到〈泰伯〉第八。

的方法有多麼的重要？由這件事情已可明確地認識。這才是這種研究比什麼都重要的成果。

武內的文獻學所以能成功，尊重日本學問傳統也有很深的關係。實際上，從內藤那邊得到的指導很大，但在內藤之後，擔任國寶保存委員會委員，也是因為他有日本漢籍的知識。遵照清朝考證學的方法，能超過中國學者的確實之道，武內所提出的一點是利用傳到日本而中國沒有的資料。武內發現的貴重古鈔本，京都曼殊院的《論語總略》之外，不止於二、三種。那些也被當作校勘的材料。又應用日本先驅學者富永仲基和伊藤仁齋，以及其他人的學說也應該要重視。

又《老子》和《論語》的研究，不用說是以古典作為對象，是廣義的文獻學。只是，武內的方法總是考慮思想的分析和交流的問題，自然地和思想史研究有關。《老子と莊子》和《易と中庸の研究》，既以古典為對象，又以思想史研究所關心的作為中心。前者以《老子》和《莊子》作為中心，去探究環繞這兩本書的各種道家文獻，「敘述周末至漢初道家思想的變遷」。後者是透過《易》和《中庸》的文獻批判，去論證這兩本有名的古典，顯示了同一思想發展的共通背景。植基於文獻批判的思想史研究法，在這裡很清楚地樹立了。

雖是這麼說，由武內所樹立的思想史學，是以《支那思想史》[2]作為代表。這書不久譯為中文，是和前後出版之馮友蘭《中國哲學史》並稱的劃時期著作，受到世人很高的評價。

首先，這書不是哲學史而稱為思想史，當然有武內特別的用意。那是對以前的著作，把哲學書的體系用個別性、列傳式的表述方式的不滿，那是想究明思想本身推移發展之想法的一種表現。所追求的是思想本身的歷史考察。

從分上世、中世、近世章目來看，上世有〈孔門の二學派〉和

2　岩波全書。後來改版，改稱《中國思想史》。

〈稷下の學〉，中世有〈儒教より老莊へ〉、〈老莊より佛教へ〉，接著是〈道教の成立〉，近世有〈儒學の新傾向〉和〈佛教の新傾向〉等，可看出想抓住思想流變本身的流動性。作為當時全新的視點，給以後中國思想史學的發展決定性的影響。

還有，這本思想史採入中國佛教的思想，也論及道教，這也是很大的特色。從經五十年今日的研究狀況來看，這書當然不十分完備，但把以前那種以儒教為中心的列傳式哲學史所不考慮的異端之學，最先作為中國思想史的一環而加以那納入，是有極大的意義。那是和馮友蘭的著作有相同的作法。在儒教史方面，宋學的勃興是因和佛、道二派的交流催化，把它的經過具體地加以論究，是應該特別說明的地方。

今天，在中國土壤因和中國固有的思想相接觸而孕育成的中國佛教，作為中國思想的一環而受到重視，可說是一種常識。又研究宋以後新儒學的人應具有佛教的知識，也已是自明的常識。武內首先打開那樣的風潮，那是因為出身佛門，具備豐富的佛教知識，更重要的，應該是對思想史的認識方式，有了和以前不同的新方法。武內的《支那思想史》出版後，日本的中國哲學研究作為思想史學是很清楚地確立了。

以上是以有關的主要著作來解說武內學的方法，這種劃時期的方法是如何產生的？最後討論他的學問之系譜時再說。

日本的中國古典的研究，是從江戶時代的漢學傳統長大的，因此，繼承此一正統的是東京帝國大學。那是分成歷史、文學、哲學，就哲學來說，代表朱子學的宋學立場很強。但新成立的京都帝國大學這邊，不談那傳統，以支那學的名稱代替漢學，帶給學界新的風潮。排除宋、明的思辨性學風，給清朝考證學的實證性很高的評價，這可認為是歷史科學的方法。以內藤湖南、狩野君山兩位教授為中心的早期畢業生，後來創辦《支那學》雜誌的青木正兒、小島祐馬等人，還

有武內義雄也是推動者之一。

　　武內受到清朝考證學的洗禮是來自狩野。而關於他的原典批判方法，內藤的影響最大。武內學的成立和京都支那學派的存在，是切不開的。內藤是史學家。中國哲學因武內而成為中國思想史學，哲學成為歷史學。對著傳統的漢學是更強烈地指向哲學，排除那隨著而來的恣意性，追求作為實證科學的確實性的，是新的思想史學。又對於京都大學教授小鳥祐馬重視社會經濟變化的思想背景，武內是開啟了重視古典文獻批判的方法，就任東北大學的講席。兩人的情況是，比起思想本身的哲學追求，更重視思想的派別和變動的歷史研究，以樹立科學實證的研究方法為心願。的確，那可以說是京都支那學派的產物。

　　從今日的思想史學的方法來說，說是批判文獻，仍然是以文獻作為中心，而僅僅依存於其中的思想史研究，可說有其本身的侷限性。在社會學、考古學和民俗學等進展的現狀中，有必要廣泛地參照這些學科。而且，那是從懷疑資料真偽的疑古風潮中，推進了活用零細資料的釋古性的學風。武內的思想史學並非十全十美，但是，不管將來的思想史學將如何發展，作為他的方法的文獻學和訓詁考證學，將作為思想史學的基礎而繼續生存下去。武內所開拓的中國思想史學的方法，的確是妝點日本東洋學歷史的一個金字塔。

主要著書・評傳

1　《武內義雄全集》（十卷）　角川書店　一九七八、九年

2　《老子原始——附諸子考略》　弘文堂　一九二六年

3　《老子と莊子》　岩波書店　一九三〇年

4　《論語》（譯注）　岩波文庫（今為筑摩叢書）　一九三三年

5　《諸子概說》　弘文堂　一九三五年

6　《支那思想史》（改名為中國思想史）　岩波全書　一九三六年

7　《論語の研究》　岩波書店　一九三九年

8　《易と中庸の研究》　岩波書店　一九四三年

9　《支那學研究法》　岩波書店　一九四九年

二十三

青木正兒

（1887-1964）

退休教授　水谷真成

　　青木正兒生於明治二十年二月二十四日，是山口縣下關市醫師青木坦平的次男。名正兒，字君雅，別號迷陽。從幼時起喜好書畫、音樂，據說能玩畫筆、弄三絃。曾就讀熊本第五高等學校，明治四十一年（二十二歲）九月，所以能入學京都大學文科大學新設的支那文學講座第一期生，據說是父親坦平的漢學素養和對中國有興趣的家學傳統所致。在京大，師事君山狩野直喜、豹軒鈴木虎雄，和湖南內藤虎次郎交往。又雖僅有一年，當代文豪露伴、幸田成行，接著紫影、藤井乙男都在國文學講座，給當時對江戶文學有興趣的青木不少的影響。和這些碩學相會，對青木往後學問的輪廓，可說起了很大的作用。

　　明治四十四年（二十五歲）七月，京都大學畢業。畢業論文的題目是〈元曲の研究〉。這是當時支那學最新的領域，由君山開始講授，並介紹給槐南、森泰治郎、露伴等人。第七章是〈燕樂二十八調考〉是引用 Sammlung Göschen 中的德文音樂理論書，和 A. Ch. Moule有關中國樂器的論文[1]中的東西對音表等，獨力開拓新領域的力作。後來，收入《支那文藝論叢》中。

　　爾後，在大正十三年（三十八歲）到東北帝國大學就任之前，一直在京都，以在野自由人的身分，自由自在地活動。後來，他回想這

---

[1] Journal of the North China Branch of the Royal Asiatic Society ,Vo1.XXX IV.

一時期是「那是有趣，且有活氣」。那時，投稿給書店彙文堂的刊物
《冊府》，報導海外學界動向和新書介紹。又和盟友一起為雜誌《支
那學》的發行盡力，並陸續發表論文。當時，介紹剛興起的中國的
「文學革命」，推介無名的新人魯迅。在東京，還沒注意到魯迅的時
候，是日本最早的介紹者。又和京大同門友辦文會「麗譯社」，聘狩
野、內藤，學習古文法，又和在京都的畫友結成「考槃社」，鑑賞南
畫，揮彩筆。恰好有機會師事畫壇長老富岡鐵齋翁。是關心所在，皆
自由自在活動的時期。

　　大正九年（三十四歲）刊行《金冬心の藝術》，這是他的第一本
單行著作。接著發表〈石濤の畫と畫論と〉[2]、〈徐青藤の藝術〉[3]，
從包含詩文畫畫的廣泛文學，更朝向人物像的視野。大正十一年，花
費兩個月，第一次訪問中國。這十多年間的活動，《支那文藝論叢》[4]
自序有詳細說明，所做的各篇論文幾乎都收在這書裡。關於這書名的
「文藝」，後來《支那文學思想史》[5]的序有說明：「昭和三年，我第
一次為岩波講座世界思潮寫『支那文藝思潮』」。所謂文藝，一般是
指文學的一科，但這時候因我自己的興趣和野心，把它解釋為文學和
其他藝術，也兼及音樂、美術思潮的沿革。這《論叢》各論文有按順
序排列，但沒有分類。

　　大正十三年（三十八歲）至昭和十三年（五十二歲）間，在仙臺
的東北帝國大學工作，其間，從大正十四年三月到大正十五年七月，
在中國留學。這時期有〈支那文學研究に於ける邦人の立場〉的論
文。「支那文學的理解和鑑賞，那和他們相比，我們根本談不上。有
旁觀者清的說法，那所謂旁觀者清，是沒有實力作後盾的空想。但要

2　〈石濤の畫と畫論と〉，《支那學》1 卷 8 號。
3　〈徐青藤の藝術〉，《支那學》2 卷 3、4 號。
4　《支那文藝論叢》（東京都：弘文堂，1927 年 4 月）。
5　《支那文學思想史》（東京都：岩波書店，1943 年 4 月）。

和它相對抗，一定要點出虛的地方。在此，我國的支那學者推進研究進步的徑路是由新體系的方法和開拓新的領域。文學一科要指出其重點的話，所要採取的新體系是文學史的研究法，開拓新的領域是要讓戲曲、小說等通俗文學的評價高起來。那本來是因歐洲文化的影響而來，但先於支那學界而覺醒，而立於比歐洲的支那學者更有利的立場」、「研究法的好壞，和那個人的頭腦有關，領域的開拓在於那個人的眼光，不管他是本國人或外國人，最重要的是個人才能，這不用說也知道。所以，對支那文學的理解和鑑賞有自卑感的國人，還是應該以這兩個途徑為主來進行」[6]重視獨創的青木，他的建議好不容易受到重視。

這時期的著作有《支那近世戲曲史》[7]、《支那文學概說》[8]、《元人雜劇序說》[9]等。第一本書是繼承王國維的名著《宋元戲曲史》所空白的明清時代，作周到縝密的調查整理所完成的大著。是青木的學位論文，直到今日幾乎無可添加的地方，在古典著作中有很高的聲譽。第二本《概說》是當時弘文堂書房投注心力的「支那學入門叢書」中的一種。說是入門叢書，書中整理得詳密周到，直到現在還沒見到可以超越的同類書。該書的序說：「文學必須品嚐，應該陶醉。雖然吃了，但不知其味，不應像牛飲馬食那樣，喝醉就夠了。應該培養識別鹽加多少、微妙風味的味覺靈敏度。味覺是什麼？是鑑賞。鑑賞力由什麼來養成？是由經驗和批判。經驗是由讀書來增進，批判是由熟慮得其正當。即由讀書思考達到平凡的結論。但讀書的方法和思考的方法是個問題。朱子所說的讀書法，讀書是熟讀本文，有必要字字咀嚼玩味，不了解的地方要深思，還是不懂看注解才有益。那好像人饑

---

[6]　《東京帝大新聞》，1937 年 6 月。
[7]　《支那近世戲曲史》（東京都：弘文堂，1930 年 4 月）。
[8]　《支那文學概說》（東京都：弘文堂，1935 年 12 月）。
[9]　《元人雜劇序說》（東京都：弘文堂，1937 年 9 月）。

餓了才吃，渴了才飲，才會有味道，不饑不渴而勉強吃喝，哪有味道
可言？這是至理名言。那不祇是讀書的要訣，在文學鑑賞方面，以這
樣的用心邁進的話，心眼會漸開，獨創的天地等著它！」這樣的話，
本是文學研究的關鍵。全書分六章，第一章是〈語學大要〉，在這類
書中是非常少見的。是分「六書」、「訓詁」、「音韻」三項的傳統小
學的概要。卷末第六章〈評論學〉的結尾部分說：「在文學研究上，
把熟讀玩味作品當作第一要務，是理所當然的事。但一面傾聽先賢的
批評，並接受指導。自己應該識別批評作品的價值。在此，評論學有
其必要。不用說，文學的研究是先由語學開始，因此非知作品的意義
不可。這是初步的階段，但又延續到最後。評論識別作品的價值是最
高的階段，但從最初就應用批評的態度來面對。僅僅埋頭於字句的解
釋，僅汲汲於記住一文一詩的意義，無論如何無法培養出批評眼。雖
說是這樣，忽略意義的研究，即是濫用批評，也終是空論。解釋和批
評參互進行，換句話說，把讀的事和品味的事一起進行，是最重要的
事」。這種說法，想得非常遠。第三本《序說》是以早於《支那近世
戲曲史》所討論的明清時代之元代的雜劇作為中心的著作。所以稱為
《序說》，是要當作當時進行中元人雜劇國譯本的序說。想引導補充
《支那近世戲曲史》這本著作。

　　仙臺時代的很多著作多收入《支那文學藝術考》（昭和十七年八
月）。自序說：「我是專攻文學的人，但對姊妹藝術的音樂、美術有
興趣，平時留心探究它們與文學的關係。這裡所收集的雜著也橫跨三
方面。現在，編輯這本書時，為了方便，立了文學考和藝術考的類
目，在文學考裡，兼論音樂方面的論文很多，藝術考僅限於書畫方
面。這分類雖然不合理，但自己的感覺是以文學為主，再及於其他藝
術的論考，這分類就表現出來了」。成書時，書前放〈國文學と支那
文學〉書後放〈民俗考〉兩篇稿子。長久以來，時時在心中磨練的興
趣所在和研究的重點，這些著作自然而然的就出現了。

　　昭和十三年（五十二歲），轉任京都帝國大學。把仙臺以來各種「講座」出版物和大學講課的原稿，「合併整理」，建立體系，包括執筆下限到昭和十五年的《支那文學思想史》[10]；同樣地，包含昭和十六年講課的《清代文學評論史》[11]，是他主要的著作。這兩本書，是在探索支那文學自古代起美意識的變遷。關於「思想」和「評論」的說法，《評論史》序說：「思潮的變化大抵因評論而出現，我想，看評論的走向是了解思潮的捷徑」。又記下他的創始之苦說：「思潮是底流，評論是在表面蕩漾的水波。是淵、是瀨，由水波也可得知，但淵底的淺深、湍石是多少，不一定從表面上可看穿。這就是我所以重視評論的原因。那也是感到不安的地方。現在，這本書的想法是，不單是探索評論的蹤跡，而是想依照這個看清思潮的變化，所以，最先在京都大學的講課，定了「文學思想」的題目，現在回想起來，並沒有得到預期的結果。因此，為避免羊頭狗肉的批評，雖然改題為《評論史》，但還念念不捨」。

　　從仙臺轉到京都，帶來了有形無形的大轉變。在逐漸加深的社會變化中，臨戰體制下的大學，因學生急速減少，講課也常斷絕。寫作活動也以小論文和隨筆雜記較多。昭和二十二年退官，有去很多地方的機會，隨著時間的經過，青木晚年之學集中在「名物學研究」。昭和三十九年，《李白》一書翻譯工作完成的第二天，即十二月二日，在立命館大學大學院，《文心雕龍》課程結束後，昏倒廊下，不久逝世，享年七十八歲。

　　他設計了中國文學世界所缺少的「文學史」編輯企劃案，在青木的著作裡也沒有這種書。由鈴木豹軒領銜，以京都學派為核心的大「支那文學史」計畫，在書店東京堂的贊助下，開始工作。以青木名

---

[10]　《支那文學思想史》（東京都：岩波書店，1934 年）。
[11]　《清代文學評論史》（東京都：岩波書店，1950 年）。

義所準備的邀請函和預定項目，所署時間是昭和十八年五月。別
史[12]、列傳[13]，包含很多固有名詞的列傳細目超過一四〇頁。這書的
巨大身影在眼前出現。但這個案子最後成了幻影。

　　談到這計畫的人也沒有，再計畫的事也沒聽到。知道青木的邀
請函、預定項目的人也很少。

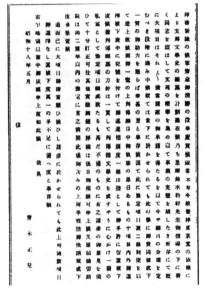

圖一　未完成的《支那文學史計畫》

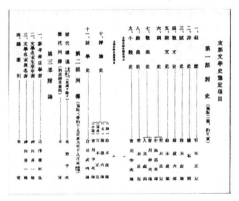

圖二　支那文學史預定項目

---

[12] 菊判二冊，約一千頁。

[13] 菊判三冊，約一五千至一八千頁，有附錄二。

主要著書・評傳

1　《青木正兒全集》（全十卷）　春秋社　一九六九年

2　《金冬心之藝術》　彙文堂　一九二〇年

3　《支那文藝論叢》　弘文堂　一九二七年

4　《支那近世戲曲史》　弘文堂　一九三〇年

5　《支那文學概說》　弘文堂　一九三五年

6　《元人雜劇序說》　弘文堂　一九三七年

7　《支那文學藝術考》　弘文堂　一九四三年

8　《支那文學思想史》　岩波書店　一九四三年

9　《支那文學評論史》　岩波書店　一九五〇年

二十四

石田幹之助

（1891-1974）

お茶の水女子大學名譽教授　和田久德

《長安の春》及其他

　　對一般讀書人，石田幹之助的名字，是因《長安之春》的作者而讓人回想起來的吧！《長安之春》是以中國史上世界性文化開花結果的唐朝首都長安，作為焦點的論考集。放在卷頭作為書名的〈長安の春〉，把大首都長安之春的樣子描述得很好，是讓讀者有聞到長安春色的花香那種實感的傑作。

　　在敘述時，活用唐代詩人的作品，借用同時代文學者的眼光，活生生地傳達了首都生活的型態。《長安之春》是東洋史代表性著作的一種。一說到東洋史學者所寫的書，引用很多難讀的漢文史籍，不是專門家往往敬而遠之，但〈長安之春〉首先引錄琅琅上口的唐詩，採用流利的筆調加以懇切的解說，是可一讀再讀的有趣短文。

　　接著，考述被稱為「胡旋舞」的中亞細亞系的賣藝者舞踏〈胡旋舞小考〉；考述長安酒場有西域出身女性的〈當壚的胡姬〉，全部以詩文為史料，對接受世界各種文化的唐朝，讓我們了解具有特色的異國風味。此外，題為〈隋唐時代に於けるイラソ文化の支那流入〉，是和我國正倉院文化有很深關係的東西文化交流的各種因素，深刻考察後所做的平易解說。這書鮮以《長安の春》[1]刊行，接著是題作《長

---

[1]　《長安の春》（大阪市：創元社，1941 年）。

安の春抄》[2]的選本，收入百花文庫中；後來，刪除原書的一部分，採錄《唐史叢鈔》（後面會提到）的主要內容，收入平凡社《現代教養全集》第十八卷[3]中。

是學者的著作，這樣反覆刊行，是因能滿足熱心讀者的需要。是因作者有魅力的文章，且處理和絲路有關的內容，吸引很多的讀書人。即使是讀者的要求，因應這要求之出版社的慈惠，石田好幾次增訂《長安の春》的內容，可以知道他對這書帶有很深的愛。因此，怪不得他死後，家族作了《東洋文庫》版的特裝本，當作紀念品送給有關人士。

像後面要說的，石田研究學問所關心的非常廣泛，研究成果也多種多樣，最拿手的是中國唐朝的歷史，特別是中亞、西亞對唐朝的影響。將最重要的業績整理而成的是《長安の春》。接著的著作是《唐史叢鈔》（要書房，昭和二十三年），是由〈唐代風俗史抄〉、〈唐代燕飲小景〉等多篇有趣的文章組成。[4]

過世前刊行的《東亞文化史叢考》（東洋文庫，昭和四十八年），收錄石田自選的三十七篇論文。是本文八八七頁的大書。內容分為言語、宗教、美術、考古、民俗、典籍、雜考七編，全部都是極為詳密的論文，處理問題的多方面也令人吃驚。

試著從各編抽出題目來看〈女真語研究の新資料〉、〈唐代支那に於けるクリスト教〉、〈幕末オラソダ人の描いた長崎の風光〉、〈我が上代文化に於けるイラソ要素の一例〉、〈ギリシア、ロオマ說話の東傳〉、〈元の上都に關する主要文籍解說〉、〈元積の樂府估客樂に就いて〉等，即橫跨文人科學的各個領域，考察對象，時間上，由上古到幕末，地域上，由歐洲到日本。石田學問研究的幅度之大，也

---

[2]　《長安の春抄》（大阪市：創元社，1947 年）。
[3]　1916 年。
[4]　這些論文收入《東洋文庫》版的《長安の春》。

可看得很清楚。石田由於對東洋學有這樣的貢獻，昭和三十九年受頒紫綬褒章，四十一年敘勳三等，四十二年列入日本學士院會員。

東洋文庫和書誌、研究史

在東洋學者間，石田幹之助之名是和東洋文庫分不開的。是世界性東洋學專門圖書作的東洋文庫，石田鞏固了它的內容基礎。東洋文庫開始於由澳洲出身，後來擔任中華民國總統府顧問的 G. E. 毛里森所收集的中國關係圖書，大正六年岩崎久彌購入，當初叫「毛里森文庫」。後來，因岩崎的財政支援而奠定基礎，大正十三年起，財團法人東洋文庫在駒込上富士前設立。

石田自從在北京接受毛里森文庫以來，和它有很深的關係。作為東洋文庫的領導人，努力於文庫內容的發展，是以廣大的亞洲作為對象，蒐集有關的日文、漢文、西文文獻。不僅是國內東洋學研究者有用的圖書館，可說是東洋學的麥加（中心地），海外學者一來拜訪東洋文庫，就可以知道石田所投注的心血有多大。在這裡，石田天賦的知識欲和愛書心充分地發揮，同時，他以東洋文庫為據點，和國內外學者交往，擴大他的見聞，東洋學者石田的名聲也廣為人所知。石田在學生時代就有秀才之譽，大學畢業時，獲得最優秀的成績，蒙恩賜銀時鐘。給石田的學問研究很大刺激的是白鳥庫吉。當時，白鳥是東京帝大教授，東洋史學的領導者。石田的回憶，說到白鳥，「想起來自先生的感化──多方面的學殖、熾烈的學問熱忱、獨創的學說，總是深深的感動」。在白鳥的影響下作研究活動，在他的指示下努力經營東洋文庫。

當時，由於大學教授將停留在歐美的二、三年間稱為留學，琢磨學問，充實研究能力是很普遍的事。石田在東洋文庫，由於接觸國內外學者，看過各國文獻，沒有留學經驗也成為一流的東洋學者，是

值得注目的。

　　昭和九年，石田辭去東洋文庫的工作。關於這件事，感到唐突的人有很多，知道當時情況的人皆已物故的今天，這件事情是個謎。天才型的人所常見的事，石田花費很多精力收集圖書，相對地，事務性的處理則是散漫的。記得聽說過，連肯定石田的才幹，以為他是優秀圖書館員的人，由於財團法人東洋文庫的制度，也不得不讓他辭職。

　　熟讀各國學術文獻、精通海外學界事情的石田，在努力於充實東洋文庫的同時，寫了很多有關東洋學發達史和它的文獻學的著作。最有代表性的是《歐人の支那研究》[5]。該書的內容是探索歐洲各國的支那研究，從古代中世紀起知識的發展，詳述直到十九世紀支那學的成立。這書因是祇有石田才能寫道的名著，得到很高的評價。因而增訂再版[6]、三版[7]，以因應學界的需要。和那同時，希望他接著那些書寫二十世紀研究史的聲浪很高，二十世紀研究史的展開，整理研究者的評傳等的著作，完成《歐美に於ける支那研究》[8]，兩書給後進的研究很多的刺激。

　　另外，書誌學著作的代表作《南海に關する支那史料》[9]。中國歷代史籍中，東南亞前近代的史料最貴重的很多，這書的內容是解說這些史料，並附上相關國內外學者的研究。這書也發揮了石田在書誌學上造詣高深的特色，到現在仍給研究者很多方便。還有，石田是博覽強記的人，據說幾乎不用筆記和卡片。因為博識，成了旁徵博引的研究史的詳細敘述，但因讀書的結果連續藏在腦海中，在記述中，有

---

[5] 《歐人の支那研究》（東京都：共立社，1932 年）。
[6] 日本圖書，1946 年。
[7] 日本圖書，1948 年
[8] 《歐美に於ける支那研究》（東京都：創元社，1942 年）。
[9] 《南海に關する支那史料》（東京都：生活社，1945 年）。

時也會記錯。

學者、文人

　　石田幹之助是明治二十四年十二月生於千葉市。因父親勤務的關係，翌年暫時遷居四日市。二十八年春，搬到東京日本橋。之後，三十八年八月遷到赤坂的檜町，又昭和十年遷到新坂町。新坂町的新居在乃木坂下，成了他長時期的住所，東京大空襲的戰火下被燒燬。四十一年起移居港區六本木。昭和四十九年五月二十五日，因急性肺炎在六本木自宅逝世，從明治到大正、昭和，幾乎將近八十年間，是東京的住民。

　　因此，明治三十年東京市立學校入學以來，經麻生中學校、第一高等學校一部乙類（舊制）、東京帝大文科大學史學科（東洋史專攻），直到大正五年史學科畢業，始終在東京求學。

　　這樣的都會人，舉止動作相當老練。愛穿和服，不論會議或上課，穿著外套和綢布的褲子，不穿內衣的英挺風姿是很有名的。據說，時髦的他在年輕時，以禮服用的駝絲錦布料新做一套西裝，因周圍人的揶揄，從那以後，幾乎不再穿西服。

　　感覺好的就喜歡到底，這可以從最早的單行書《長安の春》的裝幀看出來。封面是特漉的和紙，書名和作者名是從拓本採集，封面裡用朱色，函的設計據說是從古代裂[10]採來。又由於石田的奔走而誕生的東方學會機關刊物《東方學》創刊號（昭和二十六年），純白封面的上方用桃花心木紅印著「東方學」，「第一輯」、「東方學會」等字是用薄墨色的小字印刷。在我國學術雜誌，在這之前，是未曾見到的嶄新色調，這聽說是石田的創意。東方學會想網羅日本的東方學者，

---

[10]　譯者按：布料之名。

是戰後新創立的學術團體，瀟灑的封面表示了適合這一理想的新鮮姿態。

像前面所說的，石田達意的文章和充滿詩情的流利筆致，使他學術性內容的論文很容易接近。他的筆跡很好看，他的書信很受接信人的重視。聽說他很喜歡寫信，花費一卷紙的長信並不是很稀奇的事。他使用「壯村」[11]的雅號，從他那精湛的漢學修養和都會性的感覺，讓我們見到了江戶期文人的風格。

石田不單是專心於學問的讀書蟲，興趣多、視野廣，和文學者、知識人的交往也不少。在交際場裡談論風發，當然機智的話題讓對手不會感到無聊。長期擔任文化財保護委員的專門委員，不僅是史學會，他也被選為民族學、民俗學、考古學和其他學會的理事。這是因為他擁有各學科的豐富知識。

和芥川龍之介等的關係是大家都知道的。芥川和菊池寬、久米正雄等因是石田在舊制第一高等學校的同學，石田和芥川有很深的交往。由於那種關係，芥川的名作《杜子春》據說是由石田提供材料。又石田和佐藤春夫也很親近。佐藤是慶應出身，出版《支那詩選玉笛譜》等漢詩的日譯本，也有從中國古典翻譯的作品，對那方面有很深的關心。

能顯示石田銳利的觀察力和文筆才能的，是他留下的很多隨筆類的文字。在總合雜誌和新聞等，他寫了回憶錄、知己的回想、旅行記，以及書評介紹等的短文，這些對一般讀書人是有趣可讀的。那些文章的大部分，最近輯入《石田幹之助著作集》全四卷[12]

東洋文庫主人的石田，在學問研究上受到他的教示的東洋學者為數甚多。且辭去東洋文庫之後，在國學院大學、日本大學擔任教

---

[11] 模仿前述毛里森文庫的「モリソン」。

[12] 《石田幹之助著作集》（東京都：六興出版，1985-1986 年）。

授，即其他大學也有任教。所以，被認為是石田直接的弟子幾乎找不到。佩服石田學問的後輩不少。但有時優秀的學者並不是好的老師，石田學問的深度和氣量之大，能師事他的人並不多吧！

　　和那一起要考慮的是，戰後我國東洋史學界的環境，特別在年輕學者間，因社會經濟史較吃香、文化史則受輕視，在文化史的領域留下巨大足跡的石田，他的後繼者很不容易出現。儘管如此，石田所關心的東西文化交流史的研究，依然是重要的，繼承發展石田研究業績的青年東洋學者，人才輩出是指日可待的事。

主要著書・評傳

1　《歐人の支那研究》　共立社　一九三二年（一九四六年再版等）

2　《歐米に於ける支那研究》　創元社　一九四二年

3　《南海に關する支那史料》　生活社　一九四五年

4　《唐史叢鈔》　要書房　一九四八年

5　《長安の春》　平凡社東洋文庫　一九六七年等

6　《東亞文化史叢考》　東洋文庫　一九七三年

7　《石田幹之助著作集》（四冊）　六興出版　一九八五～一九八六年（各冊附錄有諸家的回憶錄，第四冊有榎一雄氏所做的略傳）

8　〈石田幹之助博士略年譜、著作目錄〉　《國學院雜誌》七十七卷三號　一九七六年

執筆者略歷

廖威茗編
（按姓氏筆畫寡多排列）

上山大峻（うえやま だいしゅん）
一九三四年生
龍谷大學文學部畢業　專研佛教學
現任龍谷大學教授

小野山　節（おのやま せつ）
一九三一年生
京都大學文學部畢業　專研考古學
現任京都大學教授

中嶋　敏（なかじま さとし）
一九一〇年生
東京帝國大學文學部畢業　專研東洋史學
現任東京教育大學名譽教授

水谷真成（みずたに しんじょう）
一九一七年生
京都帝國大學文學部畢業　專研支那學

古田紹欽（ふるた しょうきん）

一九一一年生

東京大學文學部畢業　專研印度哲學佛教學

現任 財團法人松岡文庫長

田中正美（たなか まさよし）

一九一八年生

東京文理科大學畢業　專研東洋史

現任愛知學院大學教授、筑波大學名譽教授

白鳥芳郎（しらとり よしろう）

一九一八年生

東京帝國大學文學部畢業 專研華南・東南亞細亞史、民族學

現任亞細亞綜合研究所東洋史學・民族學主任、上智大學名譽教授、

中國雲南大學名譽教授

宇野精一（うの せいいち）

一九一〇年生

東京帝國大學文學部畢業、專研中國哲學

現任學校法人尚絅學園理事長、尚絅大學校長、東京大學名譽教授、

尚絅大學名譽校長

金谷　治（かなや おさむ）

一九二〇年生

東北大學法文學部畢業　專研中國哲學

現任東北大學・追手門學院大學名譽教授

和田久德（わだ ひさのり）
一九一七年生
東京帝國大學文學部畢業　專研東亞細亞與東南亞細亞交流史
現任お茶水の女子大學名譽教授

松村　潤（まつむら じゅん）
一九二四年生
東京大學文學部畢業　專研東洋史
現任日本大學教授

狩野直禎（かの なおさだ）
一九二九年生
京都大學文學部畢業　專研東洋史
現任京都女子大學教授

高山龍三（たかやま りゅうぞう）
一九二九年生
大阪市立大學文學部畢業　專研文化人類學
現任大阪工業大學教授

原田種成（はらだ たねしげ）
一九一一年生
大東文化學院高等科畢業　專研漢字
現任大東文化大學大學院講師

梅原　郁（うめはら かおる）
一九三四年生
京都大學文學部畢業 專研中國史
現任京都大學教授

間野英二（まの えいじ）
一九三九年生
京都大學文學部畢業　專研中央亞細亞史
現任京都大學教授

雲藤義道（うんどう ぎどう）
一九一四年生
東京帝國大學文學部畢業　專研宗教學
現任筑紫女學園大學・同短期大學校長、武藏野女子大學名譽教授

福田襄之介（ふくだ じょうのすけ）
一九一五年生
東京帝國大學文學部畢業　專研中國哲學文學
現任神戶女子大學瀨戶短期大學校長、岡山大學名譽教授

溝上　瑛（みぞかみ あきら）
一九三九年生
京都大學文學部畢業　專研東洋史學
現任朝日新聞編集委員

興膳　宏（こうぜん ひろし）

一九三六年生

京都大學文學部畢業　專研中國文字

現任京都大學教授

鎌田　正（かまた ただし）

一九一一年生

東京文理科大學畢業　專研漢文學

現任東京成德短期大學副校長・東洋學術研究所長・東京教育大學名
譽教授

礪波　護（となみ まもる）

一九三七年生

京都大學文學部畢業　專研東洋史

現任京都大學教授

藪內　清（やぶうち きよし）

一九〇六年生

京都大學理學部畢業　專研中國科學史

現任京都大學名譽教授、日本學士院會員

●関係略年表

氏名	生年	没年
那珂　通世	(嘉永4)	(明治41)
林　　泰輔	(安政1)	
市村瓚次郎	(元治1)	
白鳥　庫吉	(慶応1)	
内藤　湖南	(慶応2)	
高楠順次郎	(慶応2)	
河口　慧海	(慶応2)	
服部宇之吉	(慶応3)	
狩野　直喜	(明治1)	
鳥居　龍蔵	(明治3)	
鈴木　大拙	(明治3)	
桑原　隲蔵	(明治4)	
岡井　慎吾	(明治5)	
津田左右吉	(明治6)	
新城　新蔵	(明治6)	
大谷　光瑞	(明治9)	
鈴木　虎雄	(明治11)	
加藤　　繁	(明治13)	
濱田　耕作	(明治14)	
羽田　　亨	(明治15)	
諸橋　轍次	(明治16)	
武内　義雄	(明治19)	
青木　正兒	(明治20)	
石田幹之助	(明治24)	

下田条約(1857)　　大政奉還(1867)　　廃藩置県(1871)　　西南戦争(1877)　　日清戦争(1894)

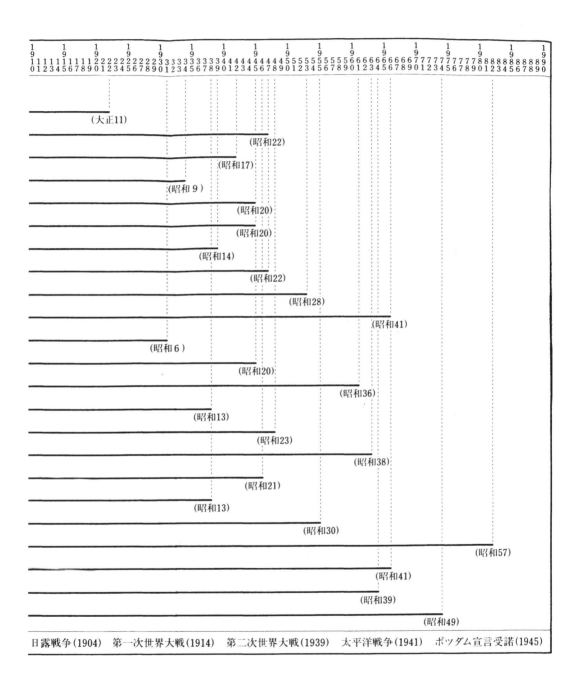

1900	1905	1910	1915	1920	1925	1930	1935	1940	1945	1950	1955	1960	1965	1970	1975	1980	1985	1990

（大正11）

（昭和22）

（昭和17）

（昭和9 ）

（昭和20）

（昭和20）

（昭和14）

（昭和22）

（昭和28）

（昭和41）

（昭和6 ）

（昭和20）

（昭和36）

（昭和13）

（昭和23）

（昭和38）

（昭和21）

（昭和13）

（昭和30）

（昭和57）

（昭和41）

（昭和39）

（昭和49）

日露戦争(1904)　第一次世界大戦(1914)　第二次世界大戦(1939)　太平洋戦争(1941)　ポツダム宣言受諾(1945)

漢學研究叢書·日韓儒學研究叢刊 0401001

近代日本漢學家——東洋學的系譜 第一集

編 著 者	江上波夫
譯　　者	林慶彰
責任編輯	蔡雅如
特約校稿	林秋芬

發 行 人	林慶彰
總 經 理	梁錦興
總 編 輯	張晏瑞
編 輯 所	萬卷樓圖書股份有限公司

　　臺北市羅斯福路二段 41 號 6 樓之 3
　　電話 (02)23216565
　　傳真 (02)23218698

| 發　　行 | 萬卷樓圖書股份有限公司 |

　　臺北市羅斯福路二段 41 號 6 樓之 3
　　電話 (02)23216565
　　傳真 (02)23218698
　　電郵 SERVICE@WANJUAN.COM.TW

香港經銷　香港聯合書刊物流有限公司
　　電話 (852)21502100
　　傳真 (852)23560735

ISBN 978-957-739-895-6

2017 年 12 月初版三刷
2016 年 6 月初版二刷
2015 年 7 月初版一刷
定價：新臺幣 320 元

如何購買本書：

1. 劃撥購書，請透過以下郵政劃撥帳號：
　帳號：15624015
　戶名：萬卷樓圖書股份有限公司

2. 轉帳購書，請透過以下帳戶
　合作金庫銀行 古亭分行
　戶名：萬卷樓圖書股份有限公司
　帳號：0877717092596

3. 網路購書，請透過萬卷樓網站
　網址 WWW.WANJUAN.COM.TW

大量購書，請直接聯繫我們，將有專人為
您服務。客服：(02)23216565 分機 610

如有缺頁、破損或裝訂錯誤，請寄回更換

國家圖書館出版品預行編目資料

近代日本漢學家——東洋學的系譜 第一集
/江上波夫編著, 林慶彰譯. -- 初版. -- 臺北
市 : 萬卷樓, 2015.7
　　面 ；　公分. -- (漢學研究叢書. 日韓儒
學研究叢刊)
ISBN 978-957-739-895-6(平裝)

1.漢學 2.傳記 3.日本
039.31　　　　　　　　　　　103022430